Berklee Practice Method
VIOLIN
Get Your Band Together

MATT GLASER
MIMI RABSON
and the
Berklee Faculty

ATN, inc.

Berklee Media

Associate Vice President : Dave Kusek
Director of Content : Debbie Cavalier
Business Manager : Linda Chady Chase
Technology Manager : Mike Serio
Marketing Manager, Berkleemusic : Barry Kelly
Senior Designer : David Ehlers

Berklee Press

Sr. Writer/Editor : Jonathan Feist
Writer/Editor : Susan Gedutis
Production Manager : Shawn Girsberger
Marketing Manager, Berklee Press : Jennifer Rassler
Product Marketing Manager : David Goldberg

DISTRIBUTED BY

Berklee Practice Method

Design Team

Matt Marvuglio	Curriculum Editor
	Dean of the Professional Performance Division
Jonathan Feist	Series Editor
	Senior Writer/Editor, Berklee Press
Rich Appleman	Chair of the Bass Department
Larry Baione	Chair of the Guitar Department
Jeff Galindo	Assistant Professor of Brass
Matt Glaser	Chair of the String Department
Russell Hoffmann	Assistant Professor of Piano
Charles Lewis	Associate Professor of Brass
Jim Odgren	Academic Advising Coordinator
Tiger Okoshi	Assistant Professor of Brass
Bill Pierce	Chair of the Woodwind Department
Tom Plsek	Chair of the Brass Department
Mimi Rabson	Assistant Professor of Strings
John Repucci	Assistant Chair of the Bass Department
Ed Saindon	Professor of Percussion
Ron Savage	Chair of the Ensemble Department
Casey Scheuerell	Associate Professor of Percussion
Paul Schmeling	Chair of the Piano Department

The Band

Rich Appleman	Bass
Larry Baione	Guitar
Mimi Rabson	Violin
Casey Scheuerell	Drums
Paul Schmeling	Keyboard

Music composed by *Matt Marvuglio*
Recording produced and engineered by *Rob Jaczko*, Chair of
the Music Production and Engineering Department

Contents

CD Tracks

はじめに

バークリー音楽大学は50年以上にわたりミュージシャンを育成してきました。卒業生たちは音楽業界で成功を収め、その多くが音楽産業の頂点にまでたどり着き、ヒット曲をプロデュースし、最高に栄誉ある賞を受け、その音楽を多くの人たちとともに分かち合っています。

バークリーがなぜこれほどまでに成功することができたかという最大の理由として、そのカリキュラムが、音楽的な目的や個々の楽器に合わせた練習方法に重点を置いていることがあげられます。バークリーの学生たちは、非常に多くの時間をバンドで他のメンバーとともに演奏して過ごします。他のミュージシャンと演奏することからいろいろなことを学びますが、それらは他の方法では学べないことなのです。教師に学ぶことは貴重なことですが、あなた自身が練習することはさらに決定的に大事なことです。しかし、バンドで演奏することはすべての中で最も重要な体験なのです。まさにそれがこのシリーズの特徴で、あなたは必要な理論的知識を学べるだけでなく、マイナス・ワンCDによるThe Bandが、あなたのために用意されているのです。

バークリー・プラクティス・メソッドの目的は、バークリー式の教育方法を本と音で紹介することです。各楽器（ギター，ベース，キーボード，パーカッション，木管，金管，弦，そしてヴォイス）の主任教授たちが一堂に会し、どのような形でバンドの中でプレイするのがベストか協議しました。そして、最高の教授陣を結集し、非常に優れたマイナス・ワンCDの演奏があなたのために準備されている教則本を創りました。これによって、あなたはミュージシャンと一緒に演奏することができます。

バークリーに入学する学生たちは、実にさまざまなバックグラウンドをもっています。ある人はすばらしいテクニックをもちながら、インプロヴァイズしたことがないかもしれません。ある人はすばらしい耳をもっているけど、読譜の練習をもっとやらなければならないかもしれません。またある人は、とてもクリエイティヴで直観的な音楽センスをもっていながら、テクニックが十分でないためにそのアイディアを形にできないかもしれません。

バークリー・プラクティス・メソッドは、このような多くの異なる状況のミュージシャンたちも学ぶことができます。教授たちは、これからバークリーに入学するすべての新入生たちたちが、本書の内容をあらかじめマスターしておいてもらいたいと望んでいます。

あなたが本書を使う場合は、読むだけで終わりにしてはいけません。すべての例題をマイナス・ワンCDに合わせて演奏します。実際にあなたのバンドで演奏できる場合は、その方がよりよいことです。

他のプレイヤーと一緒に演奏することにより、あなたはとても多くのことを学ぶことになるでしょう。このシリーズは、あなたがクリエイティヴで、表現力に富み、多くの人から支持される、だれもがバンドに迎え入れたいと思うようなミュージシャンになるために必要となる、さまざまなスキルをマスターするために多いに役立つでしょう。

Gary Burton
Executive Vice President,
Berklee College of Music

序　文

このたびはバークリー・プラクティス・メソッド／ヴァイオリンを選んでいただきありがとうございます。この本とCDのセットは、バークリー音楽大学の教授陣により開発されたバークリー・プラクティス・メソッド全10巻の1冊で、ヴァイオリン・プレイヤーがバンドと一緒に演奏するための方法を学ぶメソッド・ブックです。

付属のCDには、バークリーの器楽科教授陣の中から選りすぐりのプレイヤーによる演奏が収録されており、あなたはそのバンドと一緒に、直ちに演奏できるようになっています。それぞれの曲には練習用のマイナス・ワン・トラックや課題が用意されているので、あなたがその曲をマスターするのに大いに役立ちます。また、ロック，ブルース，ファンクやその他のさまざまなスタイルの曲を演奏することができます。

本書のレッスンでは、コンテンポラリー（現代的）なアンサンブルにおけるヴァイオリン特有のテクニックを解説しています。あなたがバンドで演奏する時、まず第一に関係するのはコードですが、それをどのように楽譜から読み取り、演奏するのか、コードはどのように進行するのか、メロディー的にも、リズム的にも他の楽器とどのように関係するのか、というような事柄です。これらのことは伝統的なクラシックの奏法とはかなり異なるもので、このメソッドの中心的な内容となるものです。本書は、楽譜の音符とリズムの読み方を知っていて、すべてのメジャー・スケールと多少のアルペジオが演奏できるヴァイオリン・プレイヤーを対象としています（最初のチャプターにこれらの要約がある）。もしプライベート・レッスンの教師とともにこのメソッドを学ぶことができれば理想的ですが、各ヴァイオリン・プレイヤーがそれぞれ独自に学んだとしても、貴重なレッスンとなるでしょう。

最も重要なことは、あなたがバンドでヴァイオリンを演奏するのに必要な知識やスキルを学べることです。CDと一緒に演奏し、そして友だちと組んでいるバンドでも演奏しましょう。本シリーズには他の楽器用のヴァージョンもあり、すべて同じ曲、同じキー（それぞれの楽器に合わせて移調してある）で作成されています。もし、あなたにドラマー、ギタリスト、ホーン・プレイヤーなどの仲間がいれば、それぞれの楽器に合ったヴァージョンのバークリー・プラクティス・メソッドを使うことによって、あなたと一緒に演奏することが可能です。

がんばって練習して、音楽を創り上げましょう。そして、大いに楽しんでください！

Matt Glaser
Chair of the String Department
Berklee College of Music

Mimi Rabson
Assistant Professor of Strings
Berklee College of Music

基本事項

最初に、以下の事柄について知っておきましょう。

マイクの使い方

通常バンドではアンプ等を使います。マイクやピックアップでひろった音を、アンプやミキサーに送ります。

かつてヴァイオリンの音を電気的に増幅することは稀でした。しかし最近ではテクノロジーも進歩し、マイク、ピックアップ、エレクトリック・ヴァイオリンなどの機材も、よい物がたくさん出ています。

機材とあなたの耳を守るために以下の手順で接続しましょう。どんな機材を使う場合でも、基本的には一緒です。

1. アンプの電源スイッチが切れていることを確認し、アンプのヴォリュームを0に下げる。

2. 接続コードをマイク、ピックアップ、またはヴァイオリン本体に挿し込み、次にアンプに挿し込む。

3. アンプの電源スイッチを入れる。

4. ピックアップ、エレクトリック・ヴァイオリンを使用している場合は、楽器側のヴォリュームをフルに上げる。

5. ゆっくりとアンプのヴォリュームを上げて、中くらいのヴォリュームで演奏しながら、必要十分な大きさにする。

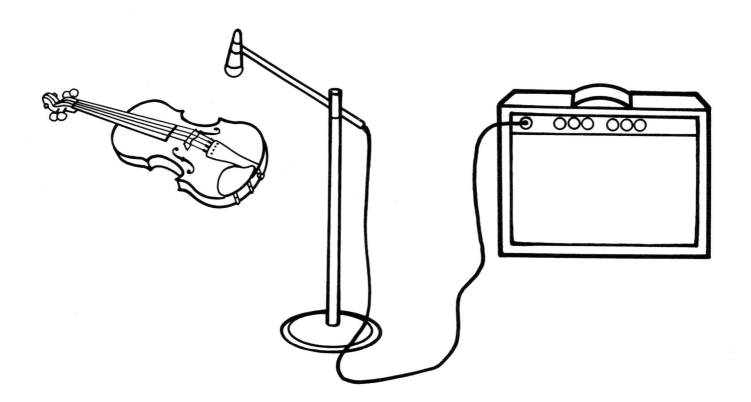

マイク

ヴァイオリンにはいろいろなタイプのマイクが使用できます。最も一般的なダイナミック・マイクや、楽器にクリップで固定するコンタクト・マイクなどです。高品質なマイクほど、サウンドの質もよくなるでしょう。

マイクには、バッテリー（主に乾電池）を内蔵するタイプと、ファントム電源（ミキサーやプリアンプなどに繋ぐことによって供給される電源）を必要とするタイプがあります。購入する前に、そのマイクがどちらのタイプなのか確認しましょう。

必要なもの：マイク、マイク・ケーブル、マイク・スタンド（コンタクト・マイクの場合は不要）、アンプ（またはP. A. などのサウンド・システム、タイプによってバッテリーかファントム電源のいずれかが必要になります。マイクの電源方式は確認しておきましょう。

コスト　　：＄50～＄5,000

長所　　　：セットアップが簡単、ヴァイオリン本体に特別な加工などの必要がない。

短所　　　：フィードバックが起こりやすい。特に、音量の大きいバンドで演奏する場合には危険。アンプやP. A. スピーカーの前（至近距離）には絶対にマイクを向けないこと。

マイクを使用する場合、30センチ前後マイクから離れて演奏すると、より柔らかいサウンドになります。マイクに近づくほど生々しいサウンドになるので、音楽のタイプによって使い分けましょう。

ピックアップ

ピックアップは弦の振動を電気信号に変換し、この信号は直接アンプへ送ることができます。ブリッジの横からすべりこませるタイプや、ブリッジに固定するタイプ、ボディに固定するタイプなどがあります。

ブリッジのサウンド・ポストに埋めこまれるタイプもありますが、このタイプは楽器のリペアの技術者に装着してもらう必要があります。

必要なもの：ピックアップ、ケーブル（シールド）、アンプ、タイプによってはケーブルが付いているものもあります。

コスト　　：＄100～＄500（ものによっては、さらに装着費が必要）

長所　　　：セットアップが簡単、フィードバックの危険性が少ない。

短所　　　：出力される音は、ヴァイオリン本来のサウンドとは全く変わってしまいます。そのサウンドをたとえるならば、風邪をひいたスペース・サックスという感じです。これはリヴァーブやその他のエフェクトで修正できます。（後の**アンプ**、**エフェクト**を参照）

エレクトリック・ヴァイオリン

ギターにエレクトリック楽器があるように、ヴァイオリンも同様です。エレクトリック・ヴァイオリンには、あらかじめピックアップが内蔵されており、プラグを挿し込むだけですぐに演奏できます。ホロウ・ボディのタイプは、もし必要であればアコースティック・ヴァイオリンとしても使用できますが、エレクトリック・ヴァイオリンとして使用した場合にはフィードバックの危険性もあります。ソリッド・ボディのタイプは、音を出すのにアンプが必要ですが、フィードバックの心配はありません。

必要なもの：エレクトリック・ヴァイオリン、ケーブル（シールド）、アンプ

コスト 　　　：$350〜$3,000

長所 　　　：フィードバックの心配がない。アコースティック・ヴァイオリンのように楽器自体が鳴らなくてもよいので、エレクトリック・ヴァイオリンにはデザイン上の制約が少なく、ステージ映えする派手な形やカラーのものもたくさんあります。さらに、5弦、6弦、ダブル・ネックなどのタイプも選ぶことができます。アンプに繋がなければ音量が出ないため、室内で静かに練習する場合にも使用できます。

短所 　　　：ピックアップと同様、ストラディヴァリウスのようなサウンドは出ません。

エレクトリック・ヴァイオリンやピックアップを使用する場合、楽器にケーブルがつながります。演奏の邪魔にならないよう、ケーブルは肩越しに後ろへ逃がしましょう。

その他の機材

サウンドを電気的な信号に変換した場合、さまざまな機材を使用してヴォリューム・レベルや音色を変化させることが可能です。

アンプ

アンプは、マイク、ピックアップ、エレクトリック・ヴァイオリンからの信号を増幅します。それによって、音量的にはほとんどの状況に対応できるでしょう。非常に多くのアンプがマーケットには出回っています。すべての電気楽器はアンプを使用するということもあり、中古品も簡単に見つかります。

サウンドを電気的に出力できるようになったら、ヴァイオリンを持って近くの楽器店へ行き、アンプを試しましょう。ほとんどのアンプはベース、トレブル、ミッドレンジ、さらに細かいイコライザーなどがついています。これらを調節することで、異なる周波数帯ごとにサウンドをコントロールできます。あなたが最も気に入るサウンドが得られるように、いろいろ試しましょう。ヴァイオリンらしいサウンドを得るためには、トレブルは下げた方がよい場合が多いです。

ベルトに付けることができる小型のアンプが＄35くらいで手に入りますが、それよりも多くの出費を覚悟したほうがよいかもしれません。よりリアルなヴァイオリン・サウンドを出すためには、新品で＄250～＄600程のよいアンプが必要でしょう。また、通常アンプは重量が重いため、持ち歩くには荷物用キャリーなども必要になります。

ヴォリューム・ペダル

ヴォリューム・ペダルはあると大変便利なため、できれば持っておきたい機材の1つです。ペダルを足で操作し、ソロの時はヴォリュームを上げ、それ以外の時はアンサンブル用のヴォリュームに下げることができます。静かに始まった曲が、突然ラウドになるような場面でも使うことができます。＄30～＄80くらいです。

エフェクト

一度バンドで演奏してみるとわかりますが、ギター・プレイヤーはさまざまなエフェクターを使用していることがしばしばあります。それを見れば、おそらくあなたもディストーション、リヴァーブ、コンプレッサー、ピッチ・シフター、フランジャー、ワウなどのエフェクターを使いたくなるでしょう。ヴァイオリン・プレイヤーは、基本的にはギター・プレイヤーと同じエフェクターが使用できます。

エフェクターを使ってできることはあまりにも広範囲にわたるので、全部書くことはできませんが、例えば、**ストンプ・ボックス**（コンパクト・エフェクター）と呼ばれるタイプのエフェクターは＄50～＄200程で手に入ります。通常ストンプ・ボックスは1機種に1種類だけのエフェクトで、フット・ペダルでコントロールします。各ストンプ・ボックスと同じ機能を何種類か内蔵した、より高価なオール・イン・ワン・タイプのエフェクターもあります。

エフェクトのさまざまなプログラムをあなた自身で設定できる、マルチ・エフェクターというタイプもあります。それらは大抵ペダル・ボードを床に置いて操作しますが、本体はベルトに装着できる小型のものから、インターネット上でエフェクターを買ってあなたのコンピューター自体をマルチ・エフェクターにするシステムまであります。いずれにしても、ギター・プレイヤーと同じものが使用できます。楽器店に行けばギター用のエフェクターがたくさんあるので、それらを試しましょう。

機材に関する最終的な考察

エレクトロニクスの世界はあまりにも広範囲にわたり、通常ヴァイオリン・プレイヤーはそれに詳しくありません。仲のよいミュージシャンでエレクトロニクスに詳しい人がいたら、何を使用しているのかきいてみるとよいでしょう。地元の楽器店と仲よくなり、常に最新情報を手に入れる方法もあります。専門的な雑誌やメーカーのカタログでも最新情報を知ることができるでしょう。もしあなたが今のサウンドに満足していないなら、イコライザー・セッティングを変えたり、アンプを替えたり、新しいストンプ・ボックスやピックアップを試すこともできます。サウンドは無限に変化します。

テクノロジーは進化し続けています。今日あなたが何か買ったとすると、半年後にはより優れた製品が現れ、しかもそれはあなたが買ったものより安いでしょう。幸運なことに、音楽用機材には大きな中古市場があります。本書の価格見積もりはすべて新品のものですが、中古市場にはお買い得なものがたくさんあります。あなたが新しい機材を導入する場合も、使わなくなった古い機材を中古市場で売ることができるので経済的です。

電気的な機材を使用する場合は、ケーブル（シールド）を1〜2本多めに、9ボルトの乾電池（エフェクター用）も予備を常に携行しましょう。エフェクターの電池はいつ切れるかわかりませんし、誰かに貸すこともできます。

最後は、あなたの耳についてです。上記のような機材を使用して演奏する時は大きい音を出すことができますが、音量には気をつけましょう。耳は2つしかないのですから、何かダメージを受けたり聞こえなくなったりしたらとり返しがつきません。完治するのは不可能です。大きな音で演奏しなければならない場合は耳栓を使いましょう。ロック・ミュージシャンには難聴になる人がよく見られます。

さらに知りたいこと

ヴァイオリン人口は徐々に増えてはいますが、ヴァイオリン本体やピックアップなどは地元の楽器店ではあまり多く取り扱ってないかもしれません。弦楽器の専門誌やウェブ・サイトなどで、専門店を探しましょう。もしヴァイオリンの先生がいる場合は、楽器やアクセサリーを買うことができる店や、さまざまな情報を教えてもらえるでしょう。

演奏するための健康管理

プロのスポーツ選手たちは、身体を最高のコンディションにするためにさまざまな専門家と一緒にトレーニングをします。コーチやトレーナーは、選手に練習前の十分なウォーム・アップや練習後のクール・ダウンを必ずさせます。もしも選手が怪我をしたならば、よくなるまでは決して無理をさせないでしょう。

音楽を演奏することはフットボールとは異なりますが、身体を駆使することは確かです。多くの才能ある人びとが身体の管理を怠ったために、ミュージシャンとしての命を絶たれました。

あなたは自分自身のコーチでもあるべきで、演奏前にウォーム・アップが完了してリラックスできているか、演奏後はただちにクール・ダウンできているかなどということを確認しなければなりません。もし痛みなどがあれば、休む必要があります。その痛みが翌日以降も続くようであれば、専門家の助けが必要です。非常に多くの人びとが、プロとしてのキャリアをスタートする前に、身体的な問題から挫折していきました。あなたはそうならないように気をつけましょう。

演奏のための健康を維持するあなたにできる最良の方法は、常に正しい姿勢とハンド・ポジションを維持することです。楽器の先生が姿勢やハンド・ポジションを重要視するのは、このためでもあるのです。スポーツ選手にとってのコーチと同様に、楽器を教える先生はあなたを身体的に無理のない正しい方向へと導くでしょう。

座って演奏する場合も立って演奏する場合も、上半身の姿勢は同じです。背筋をまっすぐに伸ばして、しかもリラックスしています。肩は上げないようにして、必要最小限のテンションで演奏しましょう。立っていても座っていても演奏中をとおして快適で、すべてにおいて無理を感じないことが大切です。ヴァイオリンは床と平行に構え、左手と肩の間に重さがかかるようにしましょう。楽器を強く握ったり、強い力を加えてはいけません。リラックスすることです。

座って演奏 　　　　　　　　　　　　　　　　　　　立って演奏

チューニング

演奏する前に各弦を正しくチューニングしましょう。フラット（弦がゆるい）な場合はペグを締めてピッチを上げ、シャープ（弦がきつい）な場合はペグをゆるめてピッチを下げます。正確な*ピッチに近づいたら、正確なピッチの音と自分の音を同時に出して、音のうねり（パルス）を聴きましょう。聴きとれるうねりがある場合は、ピッチが少しずれています。このうねりが無くなるまで、チューニングを合わせましょう。

様々なチューニング方法がありますが、最も簡単なのは電子チューナーを使う方法です。また、本書の付属CDにはチューニング・ノートが録音されていますので、CDと一緒に演奏する場合は自分の耳でCDのチューニング・ノートに合わせましょう。

CDのチューニング・ノートに合わせる

LISTEN　1　PLAY

1. Track 1の**チューニング・ノートA**を聴く

2. **A弦**を弾き、チューニング・ノートに比較して自分の音が高いのか低いのかを判断する。最初はわからないかもしれないが、心配しないように。その場合は、A弦のペグをゆっくり両方向に回して、チューニング・ノートに近づく方が正解です。

3. あなたの弦が鳴っているうちにペグを回し、チューニング・ノートと同じピッチになるようにする。チューニングが合うまでは、自分の音が途切れないように何秒かおきに何度も弦を鳴らし、ピッチを確認し続ける。

4. **A弦**が完了したなら、**D**，**G**，**E**の各弦をチューニングする。

これであなたのヴァイオリンはチューニングができました。

*pitch：音の高さのことだが、絶対的な音高または音名を意味する。日本ではピッチのことを2音間の隔たりを表す音程（インターヴァル）を表すことが多く見られるが、本書では、音高はピッチ、音程はインターヴァル、と原語のカタカナ表記を用いる

記譜法

音符や休符は5線譜に書かれます。

ヴァイオリン用の楽譜には通常トレブル・クレフ（ト音記号）の5線譜が使わます。線と間^{かん}の音は次のとおりです。

加線

5線譜の上下に**加線**をつけることにより、音を記譜する範囲を広げることができます。

臨時記号

臨時記号は音符の左側に書き、その音を半音上げる、または下げます。臨時記号は、その音に新たに他の指定がされない限り、その1小節内をとおしてその音に限り有効です。

♭	フラット	半音下げる
♯	シャープ	半音上げる
♮	ナチュラル	前につけた♭や♯をキャンセルして元のピッチ（音高）に戻す

メジャー・スケールとマイナー・スケール

スケールとは1オクターヴ内で、ある規則どおりに選ばれた音列のパターンです。その中でも最も代表的なものがメジャー・スケールとマイナー・スケールです。

調　号

調号は、曲のキーを表すと同時に、その曲をとおして常にシャープもしくはフラットする音を示しています。ナチュラルがついた音がある小節以外、調号のシャープやフラットは、曲をとおしてすべてのオクターヴの音に有効です。以下は、本書で使用するいくつかの調号です。

リズム

以下の譜例は、いくつかの基本的なリズムです。ピッチのない（手を叩いて練習するような）リズムを表記する場合、パーカッション・クレフが使われます。各拍は5線譜の下に書かれた数字のとおりです。

タイを使って音をつなぐことができます。次の例では、最初の音は6拍分の長さになります。

付点を使うことにより、音を延ばすことができます。付点はそれがつけられた音符の長さを1.5倍にします。

3連符（トリプレット）は、同じ音価（長さ）の2つ分の長さに、3つの均等な長さの音が入ります。以下の例は、まず4分音符1つが8分音符2つに分割し、さらに8分音符2つと同じスペース（1拍）に入る3連符（1拍3連＝8分音符を3つつなげた連符）です。

リズムの表記

リズムだけを表記する場合、以下のような表記方法があります。これは、何の音かということよりもリズムが重要とされるリズム練習の時によく使われます。ステム（音符の棒）の部分は普通の記譜法と同じですが、音符の頭の書き方が異なります。

小節の長さ

小節の長さはビート（拍）の数によって決まってきます。それは1小節の長さをあらわすタイム・シグネイチャーで表されます。この小節は4/4拍子（$\frac{4}{4}$）で、4分音符（下の数字）が1小節に4つ（上の数字）あるという意味です。

12/8拍子（$\frac{12}{8}$）では、1小節に8分音符が12個あります。

アーティキュレーション

アーティキュレーションとは、その音をどのような表情でプレイするのかということに関する具体的な奏法です。以下は、本書で使用されている4つの代表的なアーティキュレーションです。

＞	アクセント	強く
・	スタッカート	短く
∧	ショート・アクセント（マルカート）	短く強く
―	ロング・アクセント（テヌート）	音符の長さいっぱい延ばす

それでは、始めましょう！

PLAYING ROCK

Sweet はロック・チューンです。ロックは 1960 年代に始まり、ブルース、スウィング、R&B、ロックン・ロールなどがルーツになっています。ロックには異なるスタイルのものがたくさんあります。さまざまなスタイルのロックを知るために、*Rage Against the Machine*，*Melissa Etheridge*，*Korn*，*Paula Cole*，*Bjork*，*Tori Amos*，*Primus*，*Jimi Hendrix*，*Led Zeppelin*，ヴァイオリン・プレイヤーの *Jean-Luc Ponty*，*Boyd Tinsley(Dave Matthews)*，*Jerry Goodman (Mahavishnu Orchestra)*，*Papa John Creach*，*Don "Sugar Cane" Harris* などのアーティストを聴きましょう。

LESSON 1
テクニックと理論

まず、track 2 の Sweet を聴いてみると、ヴァイオリンはサックスとともにメロディーを演奏しています。ディストーション（エフェクター）を使うことによって、ハード・ロックらしいヴァイオリン・サウンドになります。そして、この曲には 2 つのメイン・パートがあります。

LISTEN 2 3 4 PLAY

1 つめのパートでは、ヴァイオリンは以下のような音を使っています。自分の耳でリズムをつかみましょう。

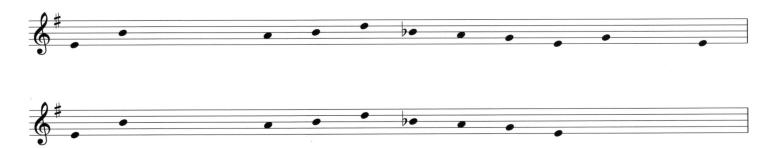

2 つめのパートでは、ヴァイオリンは以下のような音を使っています。

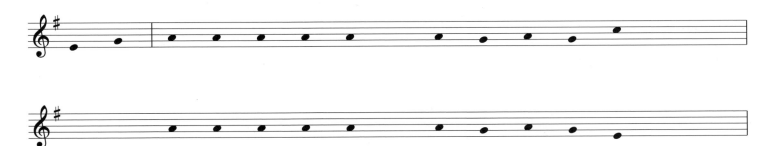

CD と一緒にメロディーを演奏しましょう。CD では、1 つめのパートの前に短いイントロがありますので注意します。

SWEET のようなメロディーは、いくつかの異なるリック(短いメロディックなフレーズ)によって創られています。音楽におけるフレーズは、言葉を話したり書いたりする時のフレーズと同じです。それは休符や音がない状態などによって途切れることのない、連続した音楽的アイディアなのです。フレーズは短いリックでもよいし、メロディーを延長したものでもかまいません。

SWEET ではヴァイオリンとリード・ギターがメロディーを演奏し、他の楽器はそれ以外のパートを演奏しています。それぞれのパートが一緒に演奏した時のサウンドがまとまっているのは、メロディー、コード(3〜4音が同時に鳴る和音)、グルーヴ(リズム、タイム・フィール)が合っているからです。

アーティキュレーション

アーティキュレーションとは、その音をどのような表情でプレイするのか(短く、長く、アクセントをつけるなど)ということに関する具体的な奏法です。あなたが演奏する時に正しいアーティキュレーションを選択できれば、メロディーをさらに歌わせることができます。

ヴァイオリンにおいては、いくつかの異なるアーティキュレーションをボウの使い方に変化をつけて演奏します。音のアタック(出だし)とリリース(終わり)に変化をつけて、異なる表情のサウンドにしましょう。

レガート

SWEET の1つめのパートでは、各音が流れるようにスムーズに演奏されています。これはレガートと呼ばれるアーティキュレーションで、スラー(⌣)を使って表記されることもあります。各音はその音符の長さいっぱいまで演奏されるため、休符がない限り次の音に繋がることになります。ヴァイオリン・プレイヤーにとってスラーはボウイングを指示するものですが、他の楽器にとってはフレーズの歌い方を指示するものです。したがって、だれがどのような目的で楽譜にスラーをつけたのか確認するとよいでしょう。それによってあなたのボウイングが変わってくる可能性があります。

レガートで演奏する場合、音と音の間にはできるだけ隙間を創らないようにしましょう。そのためにはすべての音をワン・ボウで弾ききるか、極力スムーズなボウ・チェンジを用いて演奏します。

CDと一緒にレガートでロング・トーンの練習をしましょう。2小節ごとに書いてあるマーク(ʼ)のところだけでボウ・チェンジします。演奏している間はカウントし続け、各音符の長さいっぱいまで音を延ばしましょう。

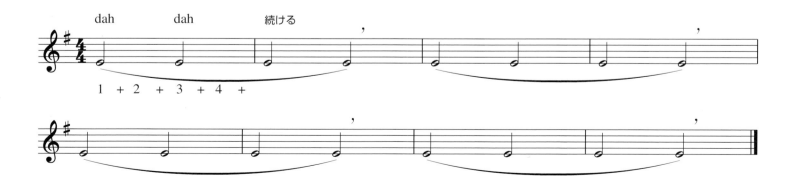

Sᴡᴇᴇᴛ の 1 つめのパートをレガートで演奏できるように練習し、CD と一緒に弾きましょう。各フレーズの構成音がきれいに繋がるようにします。

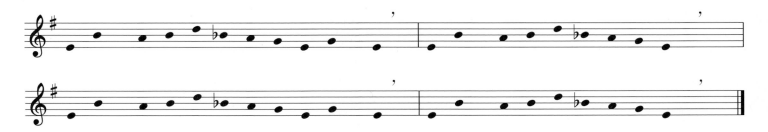

スタッカート

Sᴡᴇᴇᴛ の 2 つめのパートでは、各音はより短めに区切られていますが、これはレガート（音が長く滑らか）とは逆にスタッカート（音が短くエッジがある）と呼ばれ、楽譜に表記する場合は音符の上に点（・）がつきます。スタッカートで演奏するためには、各音ごとにわけたボウイングを用います。ボウの真ん中から下半分を使えば、より力強いサウンドになるでしょう。各音のアタマにややアクセントをつける場合は、ボウを持つ手の人差し指を押します。各音のリリースを明確にしたい場合も同様にしましょう。

スタッカートの場合、その音符の音価いっぱいまでは音を延ばさずに、音と音の間には隙間があります。4 分音符にスタッカートがつく場合は、以下のように表記します。

しかし、実際のサウンドは 4 分音符というよりも 16 分音符くらいの音の長さになります。上のラインを 16 分音符を使って記譜すると次のようになりますが、16 分音符や付点 8 分休符を使っている下の楽譜よりも上の楽譜の方が読みやすいのは一目瞭然です。

CD と一緒に、各ビートに 1 音ずつスタッカートで音を出す練習をしましょう。各音は短くてもフレーズの歌い方を考慮して、音の間ではなくフレーズの間でボウを弦から離すようにしましょう。

LISTEN **4** PLAY

CDと一緒に8分音符のスタッカートを練習しましょう。2つの異なる方法で練習します。

1. 1回めの練習では、ボウを弦からはなさないですべて演奏する。

2. 2回めの練習では、ボウで弦を引っ掛けるようにして、各音ごとにボウを弦から持ち上げる。

LISTEN 4 PLAY

CDの演奏では、2つめのパートにおける各リックの中の3つの音がスタッカートになっています。他の音は短くしないように注意します。これらのリックを何回か練習してスタッカート・フィールを掴み、それからCDと一緒に演奏しましょう。

LISTEN 4 PLAY

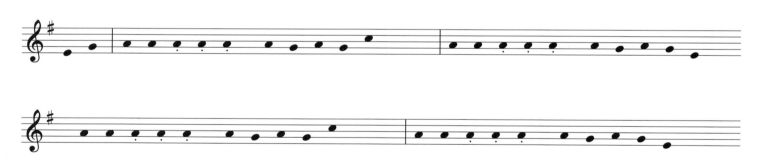

練習のポイント

休符以外では、ボウを弦からはなさないようにしましょう。そうすることで短い音と長い音を正確なリズムで演奏しやすくなり、バンドのグルーヴとも合わせやすくなります。

リード・シート

市販されている楽譜には、きちんとアーティキュレーションが書いてあるかもしれません。しかしあなたがバンドで演奏する場合、そのほとんどは、*コード・シンボルとメロディーだけが書いてあり、アーティキュレーションやフレージングの指示もないものが多いでしょう。このような楽譜をリード・シートと呼びますが、この場合どのようなアーティキュレーションを用いるかはあなた次第です。

Sweet の1つめのパートは、リード・シートでは以下のようになります。

バンド全員が同じリード・シートを使って演奏することもあるでしょう。そして、個々のプレイヤーがそれぞれの楽器ごとに異なるパートをリード・シートから創っていきます。ヴァイオリン・プレイヤーにとっては、リード・シートを読んでメロディーを演奏することが1つの方法です。

キーボード、ギター、ベースなどはコードからの音を使って各パートを創りますが、それらのコード・サウンドに合わせることで、あなた自身が曲のどこを演奏しているのかがキープしやすくなります。後出のLessonで学びますが、あなたがソロをインプロヴァイズする時にもコード・シンボルは役に立ちます。

同じ曲でも、異なるバンドが演奏すればそれぞれ異なる演奏になります。これは、リード・シートを使った演奏のもっともよいところで、個々の解釈の違いを表現できるスペースが残されているのです。

Lesson 4で Sweet の完全なリード・シートがでてきます。

* 本書に使用されているコード・シンボルに関しては、ATNの出版物の一般的な表記に準じている。日本のジャズ界では、バークリー式の表記が普及している

LESSON 2
グルーヴを学ぶ

グルーヴは、規則正しい拍子に対して、バンド全員が感じて演奏している音楽的なパターンの組み合わせから生まれます。そしてこれは、一体感と勢いを創り出します。**リズム・セクション**(通常はドラムス、ベースに、コードを演奏できるギター、キーボードなどの楽器がどれか1つ、もしくは複数)は、グルーヴの原動力とリズム・フィールを決定します。ヴァイオリン・プレイヤーや他のソロイストもまたグルーヴの一部となって、そのフィール上でメロディーを歌います。

Sweetを聴くと、ハード・ロックによく見られるように、そのグルーヴは強く、拍子が明確で、音が大きく、激しいサウンドです。ドラムスは、シンプルにくり返されるビートをヘヴィにプレイしています。ベースは、ハーモニーの動きに沿った演奏をしています。そしてリズム・ギターとキーボードはコードを、ヴァイオリンとリード・ギターはメロディーをプレイしています。しばしば、異なるタイム・フィールにもかかわらず、バンド全員が同じリズムで演奏しています。これによって、すべてのバンド・サウンドが1つにまとまり、**グルーヴがキマッてる状態**になるのです。

LISTEN 2 PLAY

LESSON1でCDと一緒にヴァイオリン・パートに合わせて演奏しましたが、それはバンドの一員としてグルーヴするということだったのです。

グルーヴの中のヴァイオリン

Sweetにおいてヴァイオリンは、メロディーとインプロヴィゼイションの2つをグルーヴに合わせて演奏しています。もしも複数のヴァイオリンあるいはストリングス・プレイヤーがいるならば、3つめの役割としてストリングス・セクションでの演奏もあるでしょう。ストリングス・セクションは、コードを演奏するかもしれませんし、ユニゾンでメロディーを演奏するかもしれません。ヴァイオリン・プレイヤーが1人だけしかいない小編成のバンドでは、ヴァイオリンはフロントに立って聴衆の注目を集める存在です。

ロックでは、以前からヴァイオリンをよく使っていました。例えば、ビートルズは1960年代にすでにヴァイオリンを使っています。当時はフロント楽器としてではなく、バンドのバックグラウンドとして使用される方が一般的でした。しかし、エレクトリック・ヴァイオリンや優れたピックアップなどのテクノロジーが発達したおかげで、ヴァイオリンはより様々なロック・シーンで使われるようになったのです。

ロック・グルーヴ

ヴァイオリン・プレイヤー自体はリズム・セクションのメンバーではありませんが、グルーヴを形成する一員であることに変わりはなく、そのリズミック・フィールをもち続けることが重要です。あなたが演奏するメロディーによって、あなたが感じているビートやパルスを他のメンバーも感じ取ることができます。

バンド・サウンドをグルーヴさせるためには、規則正しいパルス(タイム)とリズム・フィールを覚えてしまうことです。それによって、他のパートとともに息の合った演奏ができるようになります。正しいフレージングとアーティキュレーションはメロディーのリズムを明確にし、グルーヴするために役立ちます。

最も有効な練習方法は、リズム・セクションの中のどれか1つのパート(ベース、キーボード、あるいはスネア・ドラムだけ)に注目して、そのサウンドやフィールを徹底的にまねすることです。

練習のポイント

はっきりとしたボウ・ストロークで演奏しましょう。各音のアタックとリリースをよく考え、スネア・ドラムのように演奏します。

LISTEN 3 PLAY

ビートに合わせて、1,2,3,4と全小節のカウントをくり返します。カウントしている間、右手でスネア・ドラムと同じ2拍と4拍をタップ(膝などを軽く叩く)しましょう。これは、**バックビート**(下の○で囲まれた部分)と呼ばれます。強いバックビートは、ロックの特徴の1つです。

練習のポイント

リズム・エクササイズでパーカッシヴなサウンドを出すためには、フロッグの傍からボウを弦に落とすとよいでしょう。これはチャンクと呼ばれ多少の練習が必要ですが、低音弦には特に有効です。もし正確なピッチが出ない場合は、よりスネア・ドラムのように弦をヒットする必要があります。これを自在にコントロールできるようになれば、リズムもよりよくなるでしょう。

LISTEN 3 PLAY

カウントしながらチャンクする間、足で4分音符を4拍タップしましょう。

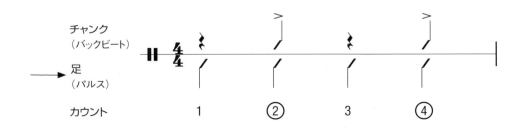

この曲は16ビート・フィールなので、あなたのカウントを16ビートに変更し、ハイハット・シンバルに合わせましょう。それぞれのビートは、1234，2234，3234，4234というように均等にカウントします。まず、スロー・テンポから（CDは使わないで）始め、コツをつかむまで続けましょう。できるようになったら、CDに合わせます。

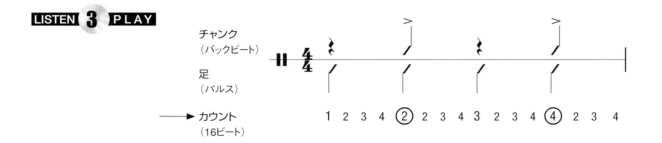

SWEETの1つめのヴァイオリン・パートを、E音（開放またはD弦、人差し指）だけをつかって演奏します。足は4分音符をタップしながら、各拍に対して16分音符に細分化してとらえます。できるようになったら、CDに合わせましょう。同じフレーズを2回くり返します。同時に、メロディーを口で歌いましょう。

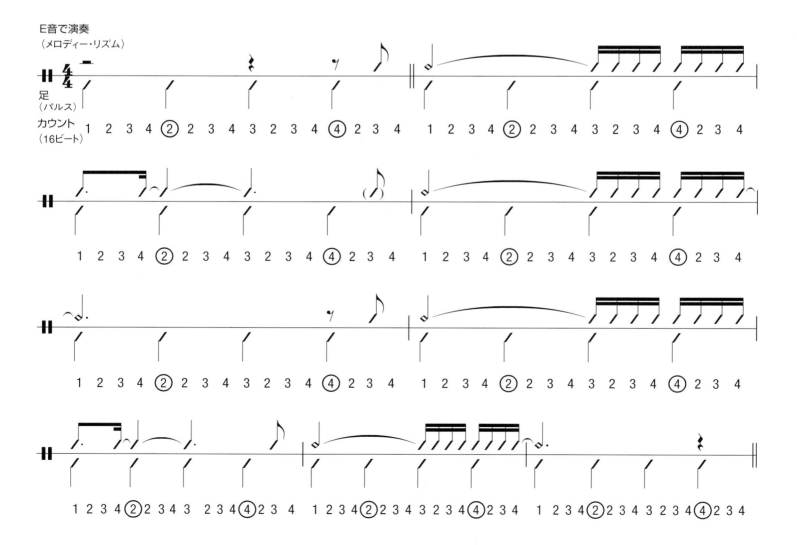

CDと一緒に実際のパートを演奏します。足をタップしながら、16ビート・フィールで演奏しましょう。アーティキュレーションはレガートで、すべてのメロディーをグルーヴさせます。

SWEETの2つめのパートを聴き、パルスを探して、合わせてカウントします。できるようになったら、CDと一緒に演奏しましょう。同じリズミック・リックが全部で8回くり返されています。

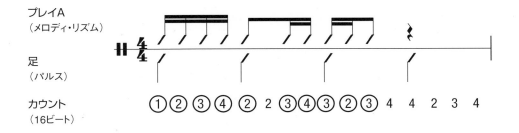

CDと一緒に実際のパートを演奏します。足でタップし、アタマではカウントしながら、アーティキュレーションに注意してグルーヴしましょう。

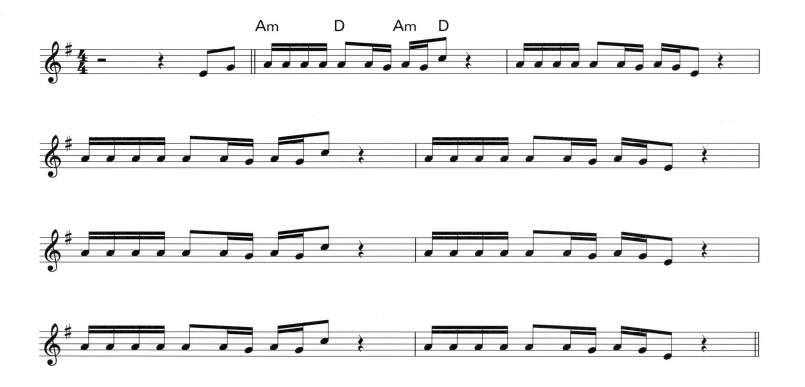

最後に両方のメロディーを演奏しますが、楽譜を目で追うのではなく耳で音を聴きましょう。それぞれのパートは異なる
アーティキュレーションを用い、バンドとともにグルーヴします。CDのヴァイオリン・ソロのところでは演奏を休んでよ
く聴き、グルーヴを感じて続けます。メロディーに戻ったら再び演奏しましょう。

LESSON 3
インプロヴィゼイション

インプロヴィゼイションとは、独創的なソロを創り上げることです。インプロヴァイズする時、あなたはその曲に対してどう思っているか、またその曲がどんな意味をもつのか、などといったストーリーを演奏によって話すのです。インプロヴァイズされたソロは、リスナーから見ると自然なものに感じるかもしれませんが、ミュージシャンはそれを演奏する以前にかなりの準備をしているのです。インプロヴィゼイションを始める前に、あなたは、曲のメロディー、曲の中でいつソロをするべきなのか、どのような音を使えばよいのかという3つのことを知っておかなければなりません。

フォーム（形式）と進行

ある曲でインプロヴァイズするための準備をする場合には、その曲がどのような形式と進行で演奏されるのかということから準備を始めましょう。このことによって、あなたがいつインプロヴィゼイションを始めるべきなのか、またどここの部分のコード・チェンジにしたがって演奏するのか、ということなどがわかります。

LISTEN 2 PLAY

SWEETを聴いてヴァイオリンの演奏を追いかけてみましょう。リズム・セクションが演奏するイントロの後、ヴァイオリンがメロディーを演奏しています。その後、インプロヴァイズ・ソロを演奏しています。そして最後に、もう一度メロディーを演奏しています。

インプロヴァイズ・ソロの間でも、まだ元のメロディーを感じることができます。それは、インプロヴィゼイションもメロディーが演奏されていた場合と同じコードに従っているからです。コードにはくり返しのパターンがあり、異なるコード・パターンごとにセクションを形成します。これらのセクションによって形成される曲の構造をフォーム（形式）と呼びます。フォームは、その曲を演奏する上での基本形となります。

フォームを表す一般的な方法としては、*コード・チャートを使う方法があります。コード・チャートにはリズムや音程などは一切なく、小節とコード・シンボルだけが書いてあります。スラッシュ記号（∕∕∕∕）のタイムで演奏するという意味です。

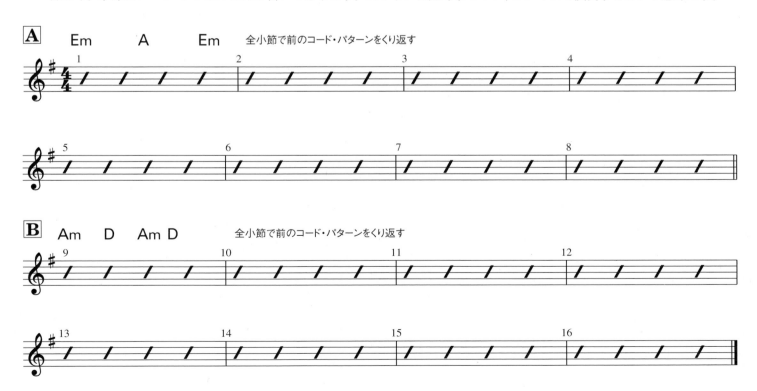

* chart：バンド・アンサンブルのために書かれたスコアや簡易な楽譜のこと

コード・チャートを使うと、SWEETのフォームの長さが16小節であることが簡単にわかります。そのフォームには主に2つの音楽的な要素があります。最初の8小節が第1の要素(**A**セクション)で、Em, A, Emというパターンです。次の8小節が第2の要素(**B**セクション)で、Am, D, Am, Dというパターンです。このフォームはシンプルに**AB**または**AB**フォームといいます。このアルファベットを用いたリハーサル記号はフォームを覚えるのに役立ち、覚えてしまえば演奏中に楽譜を読み続けることから解放されるのです。

ヘッド／コーラス

フォーム全体を1回とおすことを、コーラスと呼びます。1コーラスの長さはメロディーを含むこともできるため、その部分に関しては、ヘッドと呼ばれることもあります。またコーラスはインプロヴィゼイションのためのコード進行でもあり、通常ソロはコーラス単位で演奏します(コーラスという言葉は、ヴァースが変化したものにとって代わられた、歌のあるセクションという意味もあるが、本書ではフォームをひととおりとおしたものという意味で統一している)。

SWEETの進行

実際にバンドで演奏する場合には、何コーラスくり返したいのかを決めて、SWEETの進行の仕方を自分たちで決めることができます。コーラスの数は、その曲の中で何人がソロをとるのかにかかってきます。CDでのSWEETの演奏では、1人のプレイヤー(ヴァイオリン)だけがソロを2コーラスとっていますが、バンド・メンバーの何人かが交替で何コーラスかずつソロをとることもあります。通常ソロをとる時は、1コーラスでも2コーラスでも、あるいはそれ以上でもかまいません。

このCDでは、すべての曲が基本的に同じ進行で演奏されています(ヘッド, ヴァイオリン・ソロ, ヘッド)。それに短いイントロやエンディングがつく場合もあります。

SWEETを聴いて進行を確認しましょう。SWEETのCDにおける進行は、以下のとおりです。

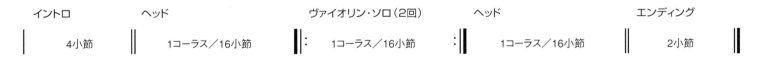

イントロ	ヘッド	ヴァイオリン・ソロ(2回)	ヘッド	エンディング
4小節	1コーラス／16小節	1コーラス／16小節	1コーラス／16小節	2小節

あなたが自分のバンドでSWEETを演奏する時は、さらにソロ・コーラスを加えたり、異なるエンディングを創ったり、異なるコード・チェンジを使ったり、という独自の進行(アレンジ)を加えることも可能です。

インプロヴィゼイションのアイディア：Eマイナー・ペンタトニック・スケール

あなたがインプロヴィズする場合に、ある音は他の音よりもよいサウンドに感じるかもしれません。そのような音を見つける方法はたくさんあります。曲のメロディーに使われている音を使ったり、コードに含まれている音を使ったり、曲に合ったスケールを使うこともあります。直観的に何かひらめいたら、自分の耳に従ってインプロヴァイズすることもできます。

SWEET でヴァイオリン・プレイヤーがソロを組み立てるのに用いている音の多くは、ペンタトニック・スケールに基づいています。ペンタトニック・スケールは、すべての音楽の中でも最もシンプルで、応用力があるタイプのスケールです。すべてのペンタトニック・スケールは5つの音で構成されています。一般的に使われるペンタトニック・スケールのタイプには、メジャーとマイナー・ペンタトニックの2種類があります。SWEET でソロイストが使っているのは、Eから始まるマイナー・ペンタトニック・スケールです。この曲のキーはEマイナーなので、このスケールはよくフィットします。下の譜例では音が6つあるように見えますが、スケールの最後にオクターヴ上のE音がくり返されているので実際には5音です。

このスケールでリックをインプロヴァイズしますが、1つのリックに多くの音は必要ないのでスケールを半分に分割します。そして前半の音をあるリックに、後半の音をまた別のリックに使います。これによって、2つのリックの間にコントラストがつきます。

これらは各グループから創ることができるいくつかのリックです。

これらのリックがすべて同じリズムでできているところに注目しましょう。下はそのリズムです。

異なる音を同じリズムの上で使うことは、ソロを組み立てるのに非常によい方法です。各リックのサウンドに関連性が出るでしょう。毎回完璧に同じリズムである必要はありませんが、ある種のくり返しはとても効果的です。

コール＆レスポンス

各フレーズを1つずつよく聴いて、完全に同じになるようにフレーズをくり返しプレイしましょう。すべてのフレーズはEマイナー・ペンタトニック・スケール、グループ分けされた音使い、同じリズムから創られています。スラッシュ記号（／）があり、上に演奏と書いてあるところは、あなたがプレイするところです。フレーズを注意深く聴き、グルーヴを合わせましょう。

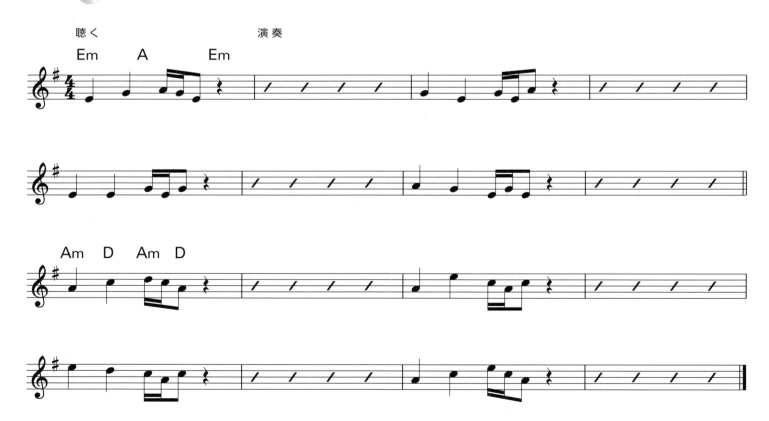

すべてのフレーズを完璧にくり返すことができるようになるまで、練習を続けます。それから、次のCDトラックでも同様に、フレーズをくり返しましょう。

LISTEN 6 PLAY

聴く　　　　　　　　　演奏

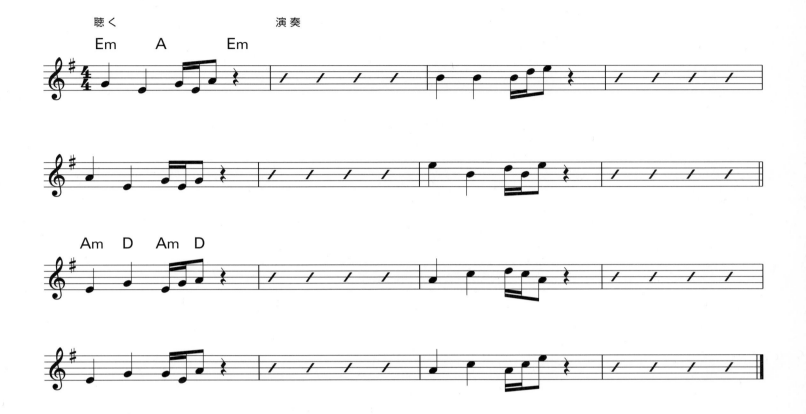

LISTEN 5/6 PLAY

もう一度、Track 5と6を使います。今回はフレーズを完璧にくり返す代わりに、あなた自身がインプロヴァイズしたフレーズで応答しましょう。同じリズムをまねして、そして、Eマイナー・ペンタトニック・スケールの音だけを使いましょう。

ここまでの練習でプレイしたように、自分で創ったフレーズを書きましょう。記譜が完全に正しく書けなくても、気にすることはありません。あなたのアイディアを書き留めておくだけです。これを覚えておけば、後でインプロヴァイズする時に役立つでしょう。

練習のポイント

よいソロには2つの要素が含まれています。それはリズムのドライヴ感と内容のあるメロディーです。その組み合わせ方次第で、ミュージシャンとしての個性が生まれ、あなたも独自性を打ち出せるようになるでしょう。

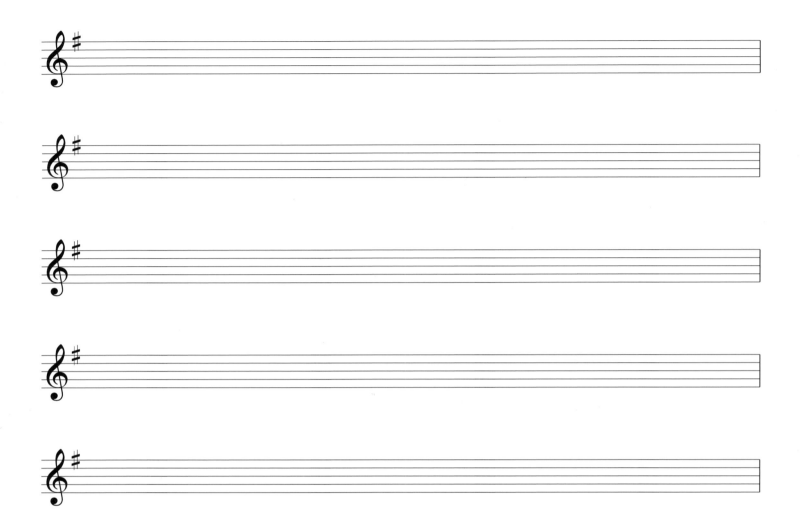

LISTEN 7 PLAY

これまでに学んだテクニックを使って、1コーラスのソロを創りましょう。それを暗譜して、CDと一緒に練習します。

バンドで演奏する時のポイント

> バンドで演奏する時には、他のメンバーの音をよく注意して聴き、その音楽をとおして他のメンバーと会話をするように演奏しましょう。そうすれば演奏はより楽しいものになりますし、音楽的にもよいものができます。あなたがソロをとる時も、やはり他の楽器が何をしているのかをよく聴くようにします。周りの音を聴いていれば、その中にあなたがソロで使うことができる多くのアイディアが含まれています。それを使ったあなたのソロも、他のメンバーにさまざまなアイディアを与えることになります。自分以外の誰かがソロをとっている時は、パーカッシヴなチャンクを使ってリズム楽器をまねて、リズム・セクションとしても演奏できるようになるとよいでしょう。

LESSON 4
読　譜

あなたがバンドで演奏する場合、ある時はあなたがやるべきことが完璧に書いてある楽譜を受け取るかもしれません。またある時は、リード・シートしかなく、あなたはより自由に自分のパートを創れるかもしれません。あなたはそのどちらの場合でも、しっかり対応し、演奏できなくてはなりません。

ヴァイオリン・パート譜

次のページにあるのは、SWEET のパート譜です。このパート譜は、アーティキュレーションの指定とリハーサル記号を含んでいます。

Intro
イントロダクション。この曲では B セクションの中の4小節を使って創られている。

Hard Rock
曲のスタイル。この曲はハード・ロックのスタイルなので、強いビートや16ビート・フィールなどのハード・ロックの特徴をふまえて演奏するようにする。

♩=86
テンポ。曲の速さがどれくらいなのかを示している。もしメトロノームをもっているなら、テンポを♩=86にセットして練習する。

‖: :‖
リピート記号。この記号に囲まれた小節は、2回(あるいは指定の回数)くり返す。

Ａ
リハーサル記号。これは、LESSON 3 ででてくるフォーム表示とは異なる。他のメンバーの楽譜と共通の位置に表示してあり、リハーサルの時に、曲のどこを演奏しているのかを簡単に確認できる。

Ａ9
リハーサル記号に小節番号がついたもの。コーラス内の異なるセクションを表す。効率よくリハーサルをしたい場合にはとても効果的。

After solos, repeat to ending
ソロが終わった後、ヘッドをもう一度演奏してからエンディングへ進行する。

Ending
フォームに加えられた終わりのセクションで、これで曲は終了する。

SWEETをできる限り記譜に忠実に、CDと一緒に演奏しましょう。

リード・シート

リード・シートはコードとメロディーを表し、高音部記号（ト音記号）で書かれます。そして、全部の音が指定されているヴァイオリン・パート譜よりも、より自由な表現ができるでしょう。以下のリード・シートには、特に指定されたイントロが書かれていないので注意します。CDに録音されているイントロは、このバンドがリード・シートを基に創ったものです。あなた自身のバンドで演奏する時も、独自のアレンジを創りましょう。

SWEET

BY MATT MARVUGLIO

Hard Rock ♩=86

バンドで演奏する時のポイント

演奏している間、リード・シートをしっかり追いかけます。それにより、フォームを見失わないで演奏できます。

CHAPTER 1 のまとめ
毎日の練習

アーティキュレーションの練習

レガート（*Legato*）

SWEET の１つめのパートに合わせて、以下の２つのエクササイズを練習しましょう。ボウ・チェンジはブレス・マークのところでだけするようにして、各音はほとんど繋がるようにします。

練習のポイント

常にボウを弦から離さないようにしましょう。ボウを持つ手をフレキシブルにして、スムーズなボウ・チェンジを心がけます。

LISTEN **3** PLAY

レガート・エクササイズ 1

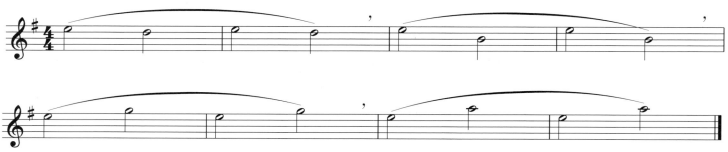

レガート・エクササイズ 2

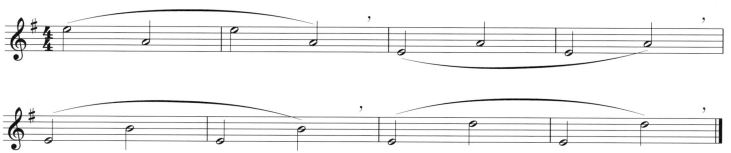

スタッカート

CDと一緒に、Eマイナー・ペンタトニック・スケールをスタッカートで練習します。ドラムスをよく聴いて、リズムを完璧に合わせましょう。

LISTEN **4** PLAY

スタッカート・エクササイズ 1

スタッカート・エクササイズ 2

スケールの練習

これはEマイナー・ペンタトニック・スケールを2オクターヴにわたり書いたものです。これらの音をスムーズに弾けるようになった時、あなたはインプロヴィゼイションにもこれらの音を使うことができるでしょう。

Lesson 3では、スケールを3音ずつ2グループに分けました。他にもこのスケールの音をグループ分けする方法はあります。例えば、4つの連続するスケール・ノートを、各スケール・ディグリーからそれぞれ始めることもできます。次のエクササイズは、さまざまなグループ分けのパターンをとおして、Eマイナー・ペンタトニック・スケールをヴァイオリンの音域でマスターするためのものです。レガートとスタッカートの両方で練習しましょう。このエクササイズはSWEETのフォームにしたがって創られてますので、CDと一緒に何回かくり返しながら練習できます。イントロの後から始めます。

インプロヴィゼイションの練習

次のエクササイズはインプロヴィゼイションのためのものです。Lesson 3でしたように、Eマイナー・ペンタトニック・スケールのスケール・ノートをグループ分けして、あるリズム・パターンを使います。そして、今度は自分でリックをインプロヴァイズしましょう。

それを演奏する前に準備しなければならないことが2つあります。1つめは、グループ分けです。ここではひとまず、Lesson 3と同じようにグループを分けます。

2つめは、リズム・パターンです。これもLesson 3と同じリズム・パターンを使いましょう。

練習方法を説明します。あなたはリズム・セクションに合わせてインプロヴァイズしますが、奇数小節では演奏し、偶数小節では次のプランを考えましょう。プランを考える時は、リズム・パターンの上で使う音を選んで、どんなフレーズを演奏するのかを決定します。そして、**グループ1**と**グループ2**は交互に使います。始める前に1小節めのプランは考えておきましょう。以上を整理すると、次のようになります。

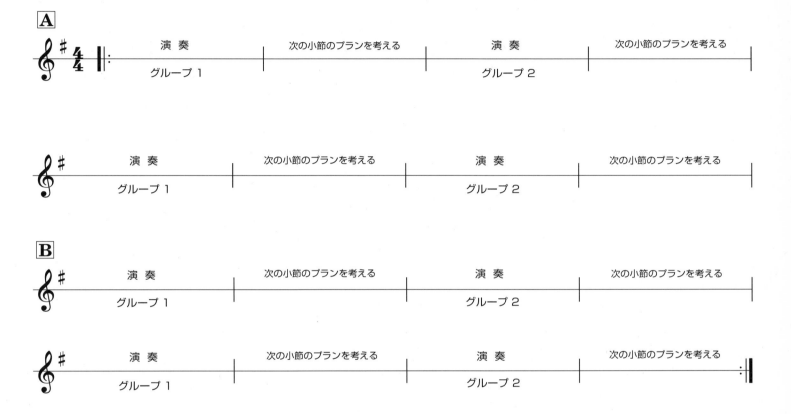

これができるようになったら、異なる音のグループやリズムも試しましょう。音のグループについては、前述のペンタトニック・エクササイズからいくつか選びます。リズムについては、下の例から選んでも自分で創ってもかまいません。シンプルなものを心がけ、それを正確に演奏しましょう。

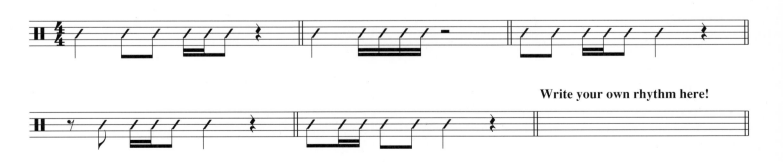

Write your own rhythm here!

チャレンジ

Aセクションと**B**セクションの両方に対して、今までとは異なるリズムと音のグループを選びます。それをCDと一緒に演奏しましょう。CDの演奏と同様に、最初と最後のコーラスはメロディーを演奏します。

ソロの練習

LISTEN 7 PLAY

CDと一緒に以下のソロを練習しましょう。このソロは、大部分がEマイナー・ペンタトニック・スケールに基づいています。

暗　譜

LISTEN 7 PLAY

今まで練習してきたフレーズや曲のメロディーを暗譜することは、この曲を演奏する時や、さらにインプロヴァイズする時に大変役に立ちます。練習したことは、それに限らずすべて演奏で役に立ちますが、演奏こそが最も練習になるので、他のミュージシャンとともにバンドを組んで、これらの曲を練習するようにしましょう。

SWEET のヴァイオリン・パートと、リード・シートを暗譜します。以下のまとめには、リード・シートで SWEET を演奏するために必要な情報のすべてが示してあります。これを覚えてしまえば暗譜に役立つでしょう。

練習のポイント

E マイナー・ペンタトニック・スケールに基づいた独自のエクササイズを書きだしてみましょう。このスケールからさらにいろいろなメロディーを創り出すことができれば、より一層あなた独自の音楽を創ることができます。

まとめ

フォーム	進行	ハーモニー	スケール
16小節：**A**, **B**	イントロ：4小節		
（1コーラス＝16小節）	1コーラス：メロディー		
A：8小節	2コーラス：ソロ		
B：8小節	1コーラス：メロディー		
	エンディング：2小節		

PLAY "SWEET" WITH YOUR OWN BAND!

Sweet を自分のバンドで演奏しよう

PLAYING BLUES

Do It Now はブルース・チューンです。ブルースは1800年代後半に起こり、ロック、ジャズ、ソウルなどのアメリカン・ミュージックに多大な影響を与えてきました。さまざまなスタイルのブルースを知るために、*B.B. King*，*the Blues Brothers*，*Robben Ford*，*Bonnie Raitt*，*James Cotton*，*Albert King*，*Paul Butterfield* などを聴いてみるとよいでしょう。

LESSON 5
テクニックと理論

Do It Now を聴いて、それからCDと一緒に演奏しましょう。ヴァイオリン・パートをうまく合わせるようにしましょう。メロディーには3つのラインがあります。始まる音はそれぞれ違いますが、終わる音は同じです。

LISTEN 8 PLAY

ファースト・ライン

セカンド・ライン

サード・ライン

練習のポイント

メロディーのパターンに注目しましょう。あるフレーズとその次のフレーズは似ていたり同じ部分があったりします。Do It Now の3つのラインは明らかに似ていて、特に最初の2つはほとんど同じで出だしの音がAナチュラルかA♭かの違いだけしかありません。あなたが曲を覚える時は、このようにどこが同じでどこが異なるのかに注意していれば早く覚えられるでしょう。

スライド

例えば、スライドのようなアーティキュレーションは、演奏によりブルージーなサウンドをつけることができます。

偉大なブルース・シンガーを聴いてみると、ある音にスライド・インしたり、ある音からスライド・オフすることがよくあります。場合によっては、1フレーズ歌うだけでも、そのほとんどすべての音にスライドを伴うこともあるでしょう。これを*メリスマティック・シンギングと呼びます。ヴァイオリンでこのサウンドを出すために、ある音に対してスライド・インまたはスライド・オフする練習をしましょう。

CDと一緒に演奏しましょう。スライドの長さに注意しながら、すべてのサウンドを正確にまねします。

*melismatic singing：1つの音節をいくつもの音で装飾性豊かに歌う歌唱形態。メロディーの1つの音に1音節をあてて歌う様式と対置する

LESSON 6
グルーヴを学ぶ

ブルース・シャッフルのグルーヴ

LISTEN 8 PLAY

Do It Nowを聴いてわかりますが、このグルーヴは、トラディショナルなR&B、ゴスペル、ジャズなどのルーツとなっています。これは、1小節に12個の8分音符が入るため、**12/8シャッフル・フィール**と呼ばれます。ドラムスはハイ・ハットかライド・シンバルでこれを刻んでいます。

足でビートをタップしながら、3連符を1-2-3、2-2-3、3-2-3、4-2-3というようにカウントしましょう。基本ビートは4分音符が4拍です。そしてパルスは3連符のため、4分音符1拍が3等分にされます。右手で3連符をチャンクしましょう。

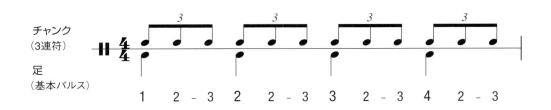

この3連フィールこそが、**シャッフルというビートを創りだします**。すべての拍に3連符を含んでいるわけではありませんが、シャッフルの根底には常に3連フィールがあります。

3連符はすべてのスウィング・ビートやシャッフル・ビートの重要な要素です。ビートの細分化(1つのビートをより細かいビートに均等分割する)を理解し、感じ取ることは、他のさまざまなグルーヴを演奏する時にも役に立ちます。

Do It Nowは、ドラムスによる2拍3連のグルーヴから曲が始まります。これによってこの曲がシャッフルであることがわかります。安定したハイ・ハットの3連符を聴き、他の楽器にも3連符のパターンがあるかどうか探しましょう。ベース・パートではどの拍に3連フィールがあるでしょうか?また、3連符のパターンは各小節で同じでしょうか、それとも変わっているでしょうか?

スウィング8分

シャッフル・グルーヴにおいて、8分音符がストレート8分として記譜されていても、3連符のように演奏します。

これらは記譜上異なるものに見えますが、あるスタイルにおいては同じように演奏されます。**Do It Now**のヴァイオリン・パート譜では、8分音符を含めて次のように記譜されています。

この曲はシャッフルなので、実際には次のように演奏します。

ヴァイオリン・パートは3連符を使った記譜よりもシンプルで見やすいものとなっています。このように、普通の8分音符として記譜されていても3連フィールで演奏される8分音符のことを、スウィング8分といいます。これはブルース、ジャズ、スウィングなど多くの音楽でよく使われるものです。

あなたが演奏する時に使うリード・シートに、**Swing**、**Swing Feel**、**Shuffle**などのスタイルの指定が書かれていたら、それは8分音符をスウィングさせて演奏することを示しています。スタイル指定がない場合は、どちら(スウィング8分かストレート8分)がよりグルーヴに合うのかを確かめるために、両方を試さなければならないこともあるかもしれません。曲のスタイルを理解することは、8分音符をスウィングさせるのかストレートなままなのかを決定するのに大変役立ちます。

LISTEN 8 PLAY

Do It Nowをもう一度聴いて、CDと一緒にヴァイオリン・パートを演奏しましょう。各ビートで3連符を感じて、ドラムスをよく聴きながら一緒にグルーヴします。

LESSON 7
インプロヴィゼイション

Do It Now を聴いて、フォームを確認しましょう。Do It Now は、12小節のブルースです。

LISTEN 8 PLAY

12小節のブルースは3つの4小節フレーズからできています。メロディーの最初の2つのフレーズは同じで、3つめのフレーズが違うというのがよくあるパターンです。このフォームはジャズ、ロック、ファンクなどでも一般的です。

Do It Now では最初のフレーズが4小節のⅠコード（F7）の部分にあり、2つめのフレーズは2小節のⅣコード（B♭7）とそれに続く2小節のⅠコード（F7）のところにあります。そして3つめのセクションは1小節のⅤコード（C7）、1小節のⅣコード（B♭7）、2小節のⅠコード（F7）の部分にあります。これは典型的なブルースのコード進行です。

今後多くの場面で、あなたはブルースを演奏することになるかもしれません。ブルース・フォームとコード進行を暗譜しておきましょう。

ブルースについて

ブルースは、すべてのアメリカン・ミュージックに影響をおよぼしている偉大なルーツです。ジャズ、ロックン・ロール、カントリー、R＆Bなどの音楽はすべて、ブルースという偉大なルーツから生まれて脈々と現代まで続いてきました。もしあなたが何かポピュラーな音楽を演奏しようとするのならば、何かしらブルースの要素を含んだ演奏をすることになります。

一言でブルースといってもいろいろな意味があります。一般的には、悲しさを表現するもので、この悲しさをまぎらわすために演奏する音楽です。さらに先に述べたように、音楽のフォームを意味する言葉でもあります。歌詞がある場合は、最初のラインと次のラインは通常同じ歌詞で、3つめのラインだけが異なります。

俺はイカした靴を買いに行くのさ
俺はイカした靴を買いに行くのさ
だからこんなクソブルースなんかとっとと歌うのやめるぜ

次は一般的な歌詞のパターンを覚えるためのものです。

ブルースじゃ2つめのフレーズは1つめと同じさ
ブルースじゃ2つめのフレーズは1つめと同じさ
ブルースじゃ3つめのフレーズも1つめとほとんど同じさ

アレンジメント

Do It Nowはドラムスが2つの3連符をプレイするところから始まります。これはピック・アップと呼ばれる1小節以下の短いイントロで、強いダウンビートを演奏しやすくします。CDでの進行は以下のとおりです。

LISTEN 8 PLAY

ピックアップ	ヘッド（2回）	ヴァイオリン・ソロ（2回）	ヘッド	エンディング
ドラムス（2拍）	1コーラス／12小節	1コーラス／12小節	1コーラス／12小節	4小節

練習のポイント

いろいろな音楽を聴く場合は、ヘッドの長さがどれくらいなのか、またイントロやエンディングがあるのか、そしてソロが何コーラスあるのか、などに注意して、その進行を常に意識して聴きましょう。

スケール：F ブルース・スケール

CHAPTER 1 では、E マイナー・ペンタトニック・スケールの使い方を学びました。次の譜例は、F マイナー・ペンタトニック・スケールです。

F ブルース・スケールは、♭5th の音（C♭ または B）が 1 つ増えるだけです。

ヴァイオリンの *レンジ全体を使って、F ブルース・スケールを練習しましょう。もし可能であれば、さらに音域を広げます。このスケールでは 3 つの音がクロマティックに並ぶ部分があるため、ヴァイオリンで演奏するのは多少難しいかもしれません。同じ指をスライドさせて 2 つの音を出す場合は、必ずボウ・ストロークを変えましょう。そうしなければ、すべてスライド・サウンドになってしまいます。スライド・サウンド自体はブルージーな効果を生み出すので、それを出したいところで効果的に使うことが重要です。従って、スライド・サウンドを出す場合と出さない場合の両方を練習しましょう。

コール＆レスポンス

以下のコール＆レスポンスのエクササイズでは F ブルース・スケールを 2 つのグループに分け、B ナチュラルの音はどちらのグループにも使います。そして 1 コーラスめは**グループ 1** を、2 コーラスめは**グループ 2** を使い、音が合っていればどのオクターヴでもかまいません。

各リックにはこのリズムを使います。

*range：「音域」と訳される用語にはレンジ（range）とレジスター（register）の 2 つがあるが、レンジは特定の楽器（または声）が出し得る音の「限界」を意味し、レジスターは音の「領域」を意味する。ただし混同して用いられる場合も多い。本書では range はレンジ、register は音域と使い分けて用いている

1. それぞれのフレーズを、CDの演奏どおりにくり返し弾く。

2. それぞれのフレーズに対して、インプロヴァイズして応答する。その場合は、Fブルース・スケールを使って、各フレーズの音やリズムをまねしながら演奏する。

このコーラスでは**グループ１**を使います。

このコーラスでは**グループ２**を使います。

LISTEN 13 PLAY

このコーラスでは、両方のグループからCDの演奏と同じグループを選んで使いましょう。

Fブルース・スケールを使って、あなた自身のアイディアをいくつか書きましょう。

LISTEN 10 PLAY

ここまでに学んだテクニックを使って、2コーラス分のソロを創りましょう。それを暗譜して、CDと一緒に練習します。

LESSON 8
読　譜

ヴァイオリン・パート譜

この楽譜には、曲の進行をいきなり違う場所へスキップさせるための記号や指示が使われています。これらの記号が出てきた時はざっととおして読譜し、進行を確認しておきます。これらの記号や指示は、記譜する小節数を減らし、できるだけシンプルで読みやすい楽譜にするために使います。これらの記号のことを、ロード・マップと呼ぶこともあります。

2 beats drums
　ピック・アップで、ドラムスの2拍の短いイントロで始まる。

𝄋　セーニョ
　セーニョ記号。後の指示（**D.S.**）がでてくる場所から、戻ってくる場所を示す記号。

⊕　コーダ
　コーダ（**Coda**）。コーダはいいかえればエンディング。最終コーラスで1つめのコーダ記号の書いてある場所から、2つめのコーダ記号の場所（エンディング）へ跳ぶ。1つめのコーダは、**to Coda**という表記や、**Last Time Only**などの指示を伴うこともある。通常はコーダ記号単体で使われる。

D.S. al ⊕　ダル・セーニョ・アル・コーダ
　セーニョ記号（𝄋）の位置に戻った後、コーダ記号まで進み、そこからコーダへ跳ぶ。この曲の場合は、ソロが終わったところからピックアップ後の1小節めに戻り、フォームをとおして**to Coda**まで進行したら、⊕ **Coda**へ進む。

After Solos
　すべてのソロ・コーラスが終了したら、次の指示に従う。この曲では、𝄋 に戻る。

Ｂ
　コーラスの変わりめを表すためにつけられたリハーサル記号。この曲ではヘッドが Ａ で、ソロ・コーラスは Ｂ になっている。

Solo
　ソロ・コーラス、あなた以外のミュージシャンがソロをとる場合もこのパートを使用する。この曲を自分のバンドで演奏する場合は、このセクションのソロをとる人数に合わせてくり返す。あなたがソロをとる場合は、ヴァイオリン・パート譜に書かれている音を演奏する必要はない。

できるだけヴァイオリン・パート譜に忠実に従い、CDと一緒に Do It Now を演奏しましょう。すでにこのパートを暗譜してしまっているとしても、楽譜を追いながら演奏します。

Do It Now

Violin Part

By Matt Marvuglio

リード・シート

リード・シートを使って、CDと一緒に **Do It Now** を演奏しましょう。

Do It Now

By Matt Marvuglio

Medium shuffle ♩=96

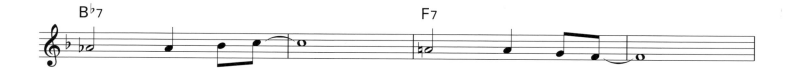

CHAPTER 2 のまとめ
毎日の練習

ブルース・スケールの練習

ヴァイオリンの音域：高音域／低音域

異なる音域で演奏することによって、また異なった新しい音質やサウンドを得ることができます。低音域で演奏されたフレーズが力強かったとしても、同じフレーズを高音域で演奏すると異なるフィールとサウンドになるでしょう。

下のエクササイズを練習し、スムーズにできるようになったらCDと一緒に弾きましょう。音域が変わるとフレーズのキャラクターが変わるところに注目します。

ヴァイオリン・プレイヤーとコード

ギターやキーボードはコード（3つか4つの音を同時に出してハーモニーを創る）をよく弾きます。ヴァイオリンはコードを演奏できないわけではありませんが、コード・トーンを1つずつ順番に弾くか、あるいはアルペジオで演奏することが多くあります。

Do It Nowでは3種類のドミナント7thコードが使われています。これらをヴァイオリンで弾きましょう。

コード・トーン（コードの構成音）はインプロヴァイズする上でスケールと同様に重要な音です。**Do It Now** で使われるコードのコード・トーンを、曲のフィールに合ったリズムで弾けるように練習しましょう。スウィングして、できるようになったら、CDと一緒に演奏しましょう。

7th コードの練習 2

これらのエクササイズはドミナント 7th コードの演奏スキルを向上させるためのものです。これは高い音から低い音へ動いていく下行ラインです。8 分音符をスウィングさせましょう。スムーズに弾けるようになるまで練習し、それからCD と一緒に弾きましょう。

次のエクササイズは、同じドミナント7thコードの上行ラインです。

ソロの練習

Do It Nowの1コーラスめのソロを、CDと一緒に音符の玉（棒がない音符）だけを読みながら練習しましょう。自分の耳で正しいリズムを聴き取ります。

LISTEN 10 PLAY

このソロが弾けるようになったら、楽譜を見ないで全曲をとおして演奏しましょう。最初にメロディーがあり、次にソロ（前ページのソロを2回くり返す）、そしてもう一度メロディーで終わります。耳を使って、CDのヴァイオリンに合わせるようにしましょう。

演奏のポイント

もしあなたが、演奏の途中で間違えたりフォームを見失ったりしても、冷静さを保ち、すべてうまくいっているようにふるまいましょう。そして他の楽器をよく聴いて、どんなコードが演奏されているのかに注意して、フォームの中に戻る方法を見つけるようにします。これは、CDをランダムなところから始めて、耳を使って曲を追いかけるという方法で練習できます。

暗　譜

これまでに学んだテクニックを使ってソロを創り、自分のパートをすべて暗譜してからCDと一緒に演奏します。その時に、まるでライヴ・ステージで弾いているかのように演奏しましょう。何があってもフォームをキープし、絶対に途中で止まらないようにします。

LISTEN 10 PLAY

まとめ

フォーム	進行	ハーモニー	スケール
12小節ブルース	ピックアップ： 　　ドラムス（2拍）		
（1コーラス＝12小節）	2コーラス：メロディー 2コーラス：ソロ 1コーラス：メロディー エンディング：4小節		

PLAY "DO IT NOW" WITH YOUR OWN BAND!
Do It Now を自分のバンドで演奏しよう

PLAYING BLUES SWING

I Just Wanna Be With You はブルース・スウィングです。スウィングは1930年代に起こった主にダンスのためのビッグ・バンド・スタイルの音楽です。さまざまなスタイルのスウィングを知るために、*Count Basie*，*Benny Goodman*，*the Squirrel Nut Zippers*，*Diana Krall*，*Branford Marsalis*，*Kevin Eubanks*，*Joanne Brackeen*，*Cherry Poppin' Daddies*，*Big Bad Voodoo Daddy* などを聴いてみるとよいでしょう。

LESSON 9
テクニックと理論

I Just Wanna Be With You を聴いて、それからCDと一緒に演奏しましょう。この曲はマイナー・ブルースです。ヴァイオリンはギターと同じメロディーを演奏しています。この曲を構成する3つのフレーズのどこが似ているのか探しましょう。

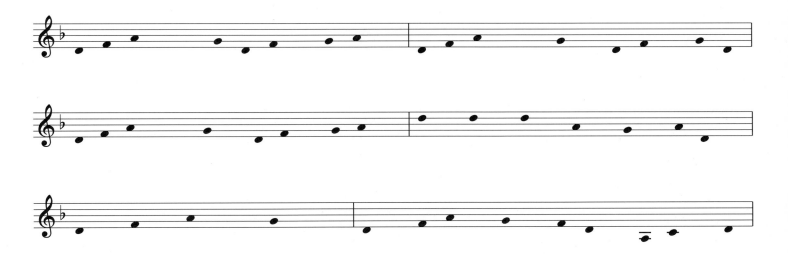

ピックアップ

I Just Wanna Be With You の各フレーズは弱拍（3拍めウラの8分音符）から始まり、強拍（1拍め）に続いていきます。この強拍に繋がっていく音をピックアップと言います。演奏を始める時はリズム・セクションとともにカウントし、正しいところから演奏が始められるようにしましょう。

パルスを感じながら大きな声でカウントし、3拍めのウラから入ります。

アーティキュレーション：アクセント

アクセント（＞）によってそれまでの他の音よりも大きな音で演奏することになり、その音を目立たせます。フレーズの中で最も高い音には、しばしばアクセントがつけられます。

アクセントはそのフレーズやサウンドを、より生き生きとした活気のある表現にします。しかしあまり多用しないようにしましょう。すべての音にアクセントをつけてしまうと、どの音も目立たなくなってしまいます。

CDと一緒にアクセントの練習をしましょう。アクセントのある音は、ない音よりもはっきり目立つようにします。

LISTEN 15 PLAY

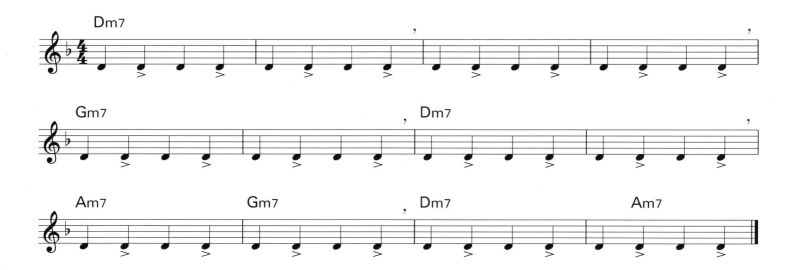

LISTEN 15 PLAY

I JUST WANNA BE WITH YOU のメロディーの中のいくつかの音にアクセントをつけると、メロディーはより歌う感じになります。特に、普通は弱拍であるビートのウラにある8分音符や4拍めなどにアクセントがあると、意表をついた効果が得られます。CDと一緒に練習し、アクセントのついている音を他よりも目立たせて演奏しましょう。

練習のポイント

ゆっくりなテンポで練習しましょう。どんなことでも、速くできる前にゆっくりと演奏できなければなりません。フィンガリングを練習し、そしてそれらを演奏する前に、頭の中でその音を聞くようにしてみましょう。

LESSON 10
グルーヴを学ぶ

I JUST WANNA BE WITH YOU を、シンバルに注意して聴きましょう。この曲には **Do It Now** と同じようなシャッフル・フィール（各ビートに対する3連フィール）がありますが、各3連符の真ん中の音を省くところが異なります。これはスウィングではよく見られることです。

これは、ジャズやR&Bの基本的なフィールです。ドラムスが両手で同じリズムを叩くため、このフィールをダブル・シャッフルと呼ぶこともあります。スウィングにおいては、通常ベース・プレイヤーは4分音符のウォーキング・ベース・ラインを弾きます。

> **練習のポイント**
>
> 自分が練習しているところを録音しましょう。カセットやMDレコーダーなどを使って、CDと一緒に演奏しているところを録音します。それを聴き返して、自分の演奏がどれくらい正確で安定しているのかをチェックしましょう。

スウィングのグルーヴ

I JUST WANNA BE WITH YOU を聴いてみましょう。拍の位置を確認して足でタップし、バックビートに合わせてチャンクします。

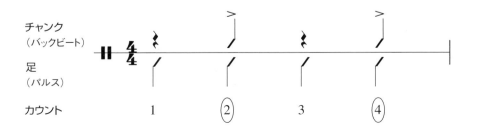

この曲はスウィング・フィールの曲ですから、バックビートを演奏する時も3連符でカウントするようにします。これができるようになったら、CDと一緒に練習してみましょう。〇で囲んであるところがチャンクの位置で、ハイ・ハットはあなたのカウントと一致するはずです。

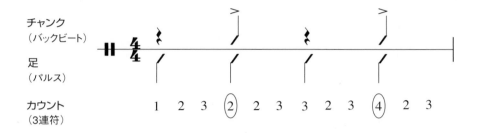

スウィング8分で演奏しましょう。（LESSON 6参照）

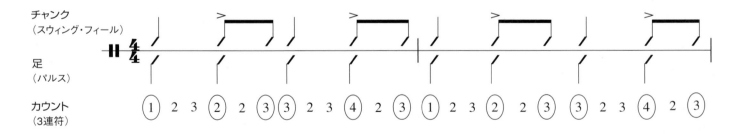

I Just Wanna Be With You を覚える

I Just Wanna Be With You では、1小節めの最後の音にアクセントがつけられています。通常4拍めの音は強調されませんので、このアクセントはそれまで続いてきたリズムを急に変える意表をつくものです。このようなリズムをシンコペーションと呼び、スウィングにおいては大切な要素です。

開放のD弦を使って、実際のメロディーと同じリズムをボウイングしましょう。できるようになったら、CDと一緒に演奏します。マークがある音にはアクセントをつけましょう。

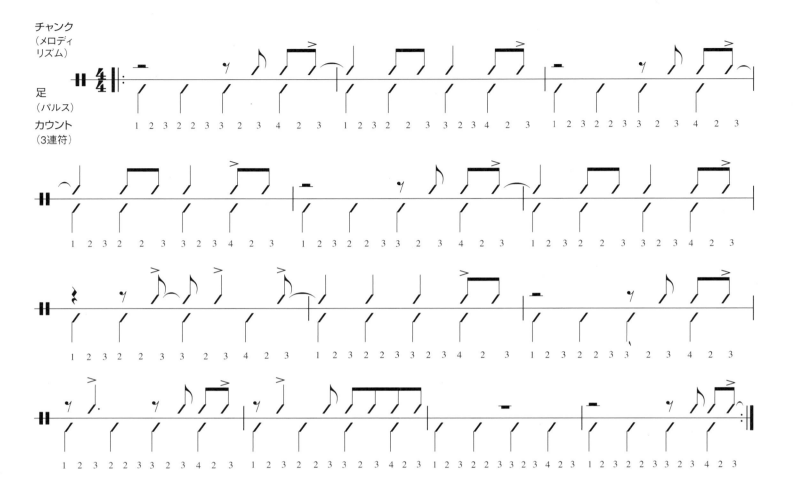

実際のメロディーをCDと一緒に演奏しましょう。演奏しながら、足でタップし、頭でカウントします。アクセントもつけて、グルーヴしましょう。

LESSON 11
インプロヴィゼイション

フォームと進行

I Just Wanna Be With You を聴いて、フォームを確認しましょう。この曲も12小節のブルースです。Do It Now と同じように、1コーラスは12小節で、3つのフレーズに分けることができます。イントロやエンディングはありましたか？ つけ加えられているセクションは、フォームのどの部分を使っていますか？

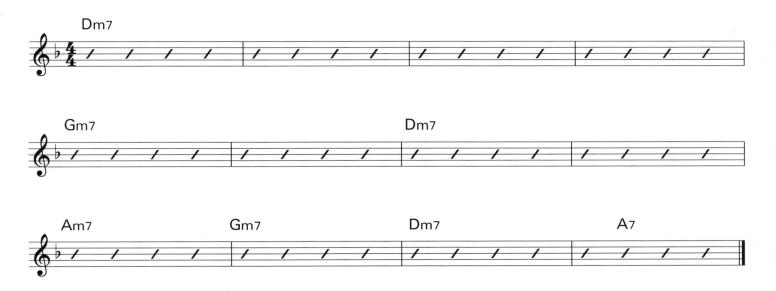

次は、CDで演奏している進行です。

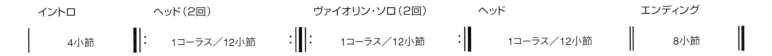

イントロとエンディングはフォームの最後の4小節を使ったものです。CDのバンドは、エンディングを2回くり返しています。このようにくり返すエンディングを**タグ・エンディング**といいます。

演奏のポイント

バンドで演奏する時に、**タグ・エンディング**をさらに何回かくり返して盛り上がっていくことがあります。もしそれがすばらしい演奏で、バンドのメンバーも乗り気なら、曲そのものよりもエンディングの方が長くなることさえあります。エンディングは、みんながリラックスして楽しむことができるところです。音楽を聴く時、そのバンドがエンディングを一体どうするのか注意して聴きましょう。

インプロヴィゼイションのアイディア

スケール：D ブルース・スケール

D ブルース・スケールはこの曲に使えるスケールの１つです。ヴァイオリンで弾いてみましょう。

D ブルース・スケールを広い音域にわたって練習しましょう。A から始まっているところに注意します。もしできるようなら、さらに上にレンジを広げましょう。

D ブルース・スケールの練習

LISTEN **15** PLAY

この幅広いレンジを全部使って上行、下行し、CD と一緒に D ブルース・スケールを練習しましょう。各ビートに音を１音ずつ弾いて一定のタイムをキープし、音色やヴォリュームなどもできるだけ均等にします。特に最初はブルー・ノート（A♭）を省いてしまいがちですが、あなたがソロを創る時はこれらの音を積極的に使うようにしましょう。

メロディーを演奏する際、６小節めのリズムに注意しましょう。ビートのオモテではなくウラに、３つの音が規則的に入ります。このようなシンコペーションは、リズムをスウィングさせるためにとても重要です。

コール＆レスポンス

1. それぞれのフレーズを、CD の演奏どおりにくり返し演奏する。
2. それぞれのフレーズに対して、インプロヴァイズして応答する。D ブルース・スケールを使って、各フレーズの音やリズムをまねしながら演奏する。

LISTEN **16** PLAY

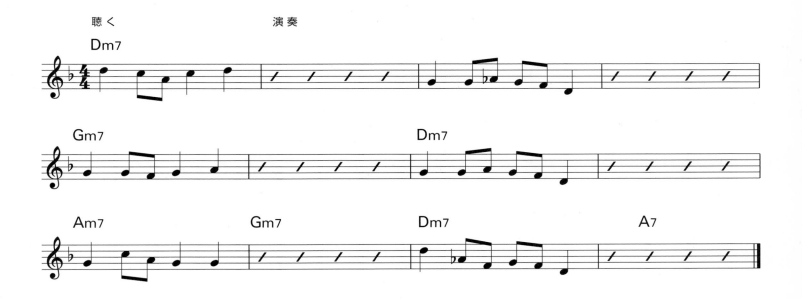

Dブルース・スケールを使って、あなた自身のアイディアをいくつか書きましょう。

これまでに学んだテクニックを使って、2コーラス分のソロを創りましょう。それを暗譜して、CDと一緒に練習します。

LESSON 12
読　譜

ヴァイオリン・パート譜

ヴァイオリン・パート譜を読みながら、I JUST WANNA BE WITH YOU を演奏しましょう。記譜どおりに演奏できるようにします。ギターもヴァイオリンと一緒にメロディーを演奏しますが、ソロ・コーラスではギターはコードを弾いています。

LISTEN **15** PLAY

I JUST WANNA BE WITH YOU
VIOLIN PART

BY MATT MARVUGLIO

リード・シート

リード・シートで I JUST WANNA BE WITH YOU を演奏しましょう。

INTRO / ENDING

リード・シートにこの表記はないが、あなたがバンドで演奏する時はイントロやエンディングをつけ加えることができる。例えば、イントロでは Do IT Now のようにドラムスだけでもよいし、この曲の CD の演奏のように、曲の最後の部分を使ってもよい。タグ・エンディングは、最後の 4 小節を少なくとも 3 回はくり返す。

この曲のメロディーは短い（12小節）ため、あなたがバンドで演奏する時はメロディーを 2 回くり返してもよいでしょう。ソロの時はピックアップを演奏してもしなくてもかまいませんが、メロディーを演奏したい場合にはピックアップを演奏しましょう。

LISTEN **15** PLAY

I JUST WANNA BE WITH YOU

BY MATT MARVUGLIO

CHAPTER 3 のまとめ
毎日の練習

アーティキュレーション：スウィング・スタイルにおける子音的サウンドとスタッカート

LISTEN 15 PLAY

メロディーを暗譜し、CDの演奏からヴァイオリン・プレイヤーのフレージングとアーティキュレーションをコピーしましょう。各音の長さはどれくらいでしょうか？ 音がどのように始まっていますか？ できる限りCDの演奏と同じになるように、サウンドやフィールもまねします。そして、すべての音をCDと同じように再現するためのボウイングを見つけましょう。

耳を使って何か学ぼうとする場合、音がどのように始まっているのかに注目しましょう。この曲では、しばしばハード・サウンド（アルファベットの発音に例えると、P、T、Kなど）で始まる音があります。これらの音は、柔らかく流れるような母音的サウンドとは正反対のため、子音的サウンドで始まる音といえます。ハードで明確な子音的サウンドを出すためには、ボウで弦をひっかけるようにし、ややはじけるような感じで音を出し始めるとよいでしょう（ポッピング・サウンド）。それによってリズムもより明確になります。ボウのいろいろな部分を使って、ポッピング・サウンドを出すように試しましょう。

このサウンドはスウィングでは一般的なもので、特に短いスタッカート・ノートではよく使われます。スウィングでは、スタッカートは（∧）という記号で記譜されます。このアーティキュレーションを演奏するためには、ボウで弦をひっかけるようなポッピング・サウンドを使います。

LISTEN 15 PLAY

CDと一緒に、スウィングのスタッカートを練習しましょう。このエクササイズでは、スタッカートはバックビートを強調する位置についています。子音的なアーティキュレーションで音が始まるようにしましょう。

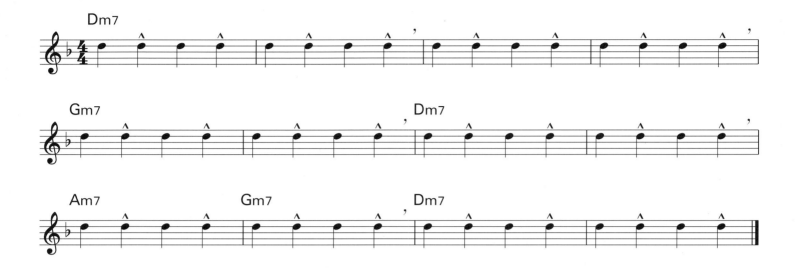

練習のポイント

あなたがバンドでヴァイオリンを演奏する場合、できるだけリズミカルな方法で楽器を使います。常にボウイングを工夫し、音楽をできる限りリズミカルで、いきいきとしたものにしましょう。

CDの I Just Wanna Be With You の演奏では、スタッカートとアクセントを組み合わせて使うことにより、メロディー全体にさまざまな表情を加えています。演奏する時は、それぞれのアーティキュレーションをはっきりさせましょう。以下のアーティキュレーションの練習をし、できるようになったらCDと一緒に演奏しましょう。

LISTEN 15 PLAY

ヴァイオリンのサウンド

tah、tut、hutなどの異なる音声シラブルをイメージすることによって、さまざまなボウイングのアイディアとサウンドの
ヴァリエーションを得ることができます。

ロング・トーンを毎日練習し、できる限り大きくて暖かいサウンドを出せるようにしましょう。下の譜例は、毎日の練習
で行うエクササイズの一例で、ロング・トーンとDブルース・スケールを組み合わせたものです。CDのtrackをとおして、こ
のエクササイズをくり返します。

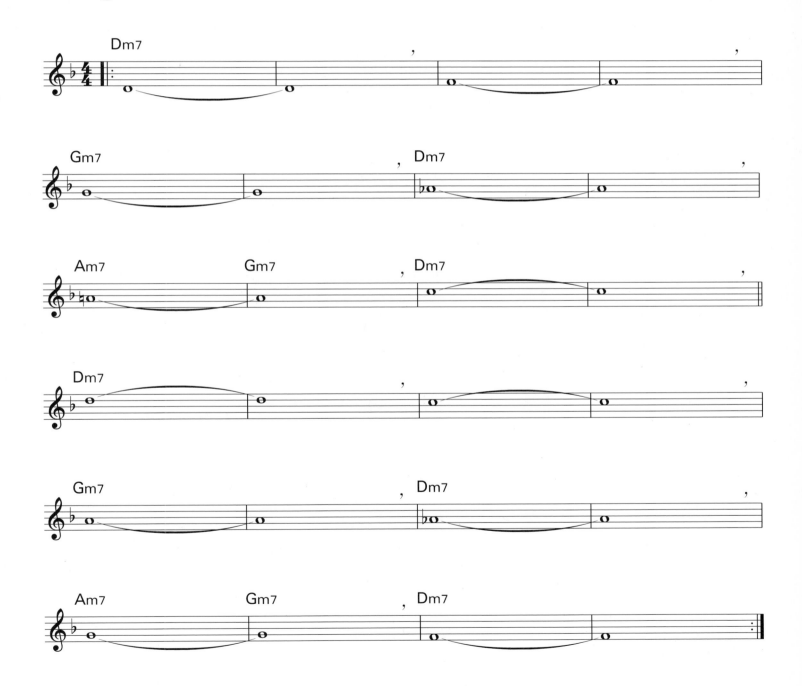

インプロヴィゼイション

コード

I JUST WANNA BE WITH YOU のリード・シートには４つのコードがあります。最初の３つはマイナー7thコードで、最後の１つ（A7）はドミナント7thコードです。これらのコード・トーンはソロをインプロヴァイズする時にも役立ちます。

CDと一緒にコード・トーンの練習をしましょう。そしてドミナント7thコード（A7）のサウンド（特にC♯の音）が他とどのように異なっているのかということに注意します。異なるコード・サウンドとコード・チェンジによって最終小節が際立ち、その曲のキャラクターが出てきます。それと同時に最終小節から第１小節へとフォームがリピートしやすくなっています。このようにフォームをうまく回転させて始めに戻す役割をするコード・サウンドを、**ターンアラウンド**といいます。

コード・トーンを使ったインプロヴィゼイションの練習

LISTEN **15** PLAY

次のヴァイオリン・ソロを練習し、できるようになったらCDと一緒に演奏します。コード・トーンの使い方に注目しましょう。

コード・トーンを使ったリックをいくつか創りましょう。

LISTEN **15** PLAY

これまでに学んだテクニックを使って、2コーラス分のソロを創りましょう。それを暗譜して、CDと一緒に練習しましょう。

ソロの練習

LISTEN **15** PLAY

I JUST WANNA BE WITH YOU で演奏されているヴァイオリン・ソロを練習しましょう。できるようになったら、CDと一緒に演奏します。

暗　譜

I JUST WANNA BE WITH YOU のメロディーに、独自のアーティキュレーションやフレージングなど、あなたの個人的な解釈を加えて、自分のスタイルで演奏するための練習をしましょう。それからCDと一緒に演奏する時は録音します。次に、コード進行、曲のフォーム、グルーヴなどを基にしてソロを創る練習をします。それも同じように録音します。そしてそれらの中から最も気に入ったものを書き出して、暗譜しましょう。

まとめ

フォーム	進行	ハーモニー	スケール
12小節ブルース （1コーラス＝12小節）	イントロ：4小節 2コーラス：メロディー 2コーラス：ソロ 1コーラス：メロディー エンディング：6小節	Dm7　Gm7　Am7　A7	Dブルース・スケール

PLAY "I JUST WANNA BE WITH YOU" WITH YOUR OWN BAND!
I Just Wanna Be With You を自分のバンドで演奏しよう

PLAYING FUNK　　　　　　　　　　　　　　　　　　CHAPTER 4

LEAVE ME ALONE は**ファンク・チューン**です。ファンクはニューオリンズのストリート・ミュージックがルーツになっています。1960 年代に起こり、ロック、R&B、モータウン、ジャズ、ブルースなどの要素が組み合わさっています。ファンクは多くのラップ・アーティストにも影響を与えています。さまざまなスタイルのファンクを知るために、*James Brown*，*Tower Of Power*，*Kool & The Gang*，*The Meters*，*The Yellowjackets*，*Chaka Khan*，*Tina Turner*，*Red Hot Chili Peppers* などを聴いてみるとよいでしょう。

LISTEN **18** PLAY

LESSON 13
テクニックと理論

LEAVE ME ALONE を聴いて、それから CD と一緒に演奏しましょう。ヴァイオリン・パートをうまくフィットさせます。

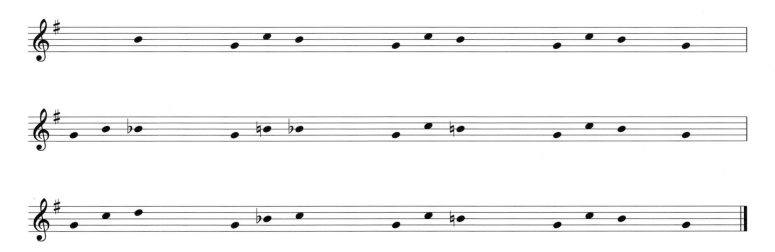

アーティキュレーション：レガート

ジャズやポップスにおいてテヌート（−）のついた音は、その音価いっぱいに延ばします。レガートは、スラーと同じ意味ですが、テヌートは、フレーズ全体ではなくアーティキュレーションを指示する音符だけに記号をつけます。テヌートで音を延ばす場合は、演奏しながら 8 分音符でカウントして、常に延ばすべき音の長さを確認しましょう。

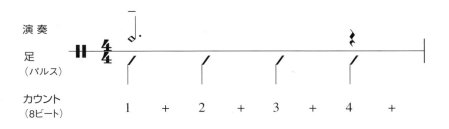

CDと一緒にテヌートの練習をしましょう。頭の中では8分音符をカウントし、音を出す時と止める時は細心の注意を払います。

LISTEN **19** PLAY

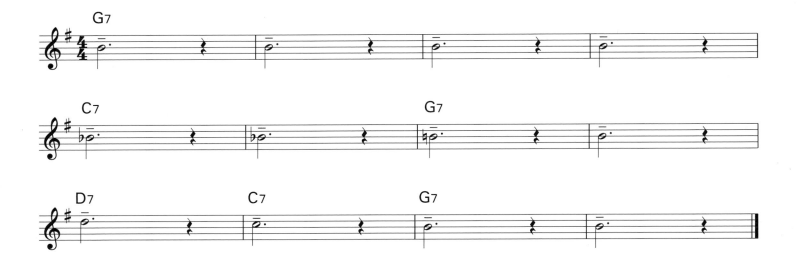

メロディーに長いテヌートの音がある場合、リスナーにはリズム・セクションのグルーヴを聴かせることになります。短いスタッカートの音がある場合は、メロディーをグルーヴの一部分として聴かせることになります。これらのアーティキュレーションを効果的に組み合わせて使いましょう。

CDと一緒にアーティキュレーションの練習をしましょう。

LISTEN **19** PLAY

LESSON 14
グルーヴを学ぶ

ファンク・グルーヴ

LISTEN 18 PLAY

LEAVE ME ALONE を聴きましょう。このファンク・グルーヴは、ニューオリンズのストリート・ミュージックがルーツとなっています。毎年春に行われるマルディ・グラというお祭りのパレードでは、今でもマーチング・スタイルでファンキーなマーチが演奏されています。ニューオリンズの多くのアーティストたちは、ファンクの発展に重要な役割を果たしました。

ファンクのリズムは、ブルースほどはスウィング・フィールが強くありません。それより、ロックと同じように16ビートが基本になっていますので、１２３４，２２３４，３２３４，４２３４とカウントしましょう。２拍めと４拍めは通常スネア・ドラムによって強調されます。

次のエクササイズは、ファンクに合わせてグルーヴするためのものです。ヴァイオリンと合わせるようにして、CDと一緒に演奏しましょう。楽譜は下に書き出してあるとおりなので、ビートの位置を確認してメロディーを演奏します。このメロディーはファンク特有の強いバックビートを強調したものです。

LISTEN 20 PLAY

シンコペーションとアーティキュレーション

シンコペーションをどのようなアーティキュレーションで演奏するかによって、グルーヴの感じ方が変わります。次の例の各リックは、まずレガートで、それからスタッカートで演奏しますが、それぞれ独特なサウンドになります。各リックをアーティキュレーションに注意しながら、CDの演奏どおりにくり返して演奏しましょう。読譜よりも音で聴いた方が簡単に理解しやすいので、注意深く聴き取ってコピーします。

LISTEN **21** PLAY

LESSON 15
インプロヴィゼイション

フォームと進行

LEAVE ME ALONE を聴いてフォームを確認しましょう。このファンク・チューンは12小節のブルース・フォームです。

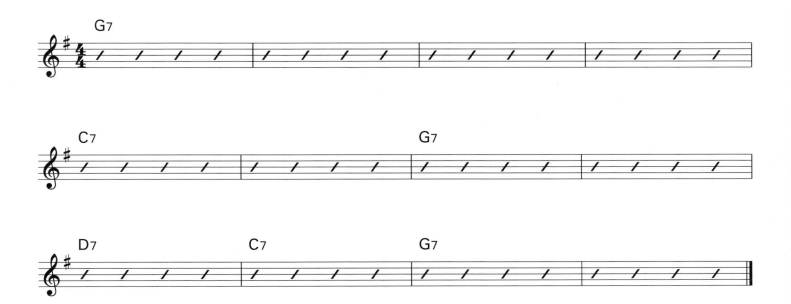

CDの演奏では4小節のイントロがあり、そこではリズム・セクションのグルーヴがフィーチャーされています。

インプロヴィゼイションのアイディア：Gブルース・スケール

この曲にはGブルース・スケールが使用できます。ヴァイオリンで弾きましょう。

より広いレンジで、Gブルース・スケールを練習しましょう。

コード

LEAVE ME ALONE で使われているコードはすべて同じタイプで、CHAPTER 2 で学んだドミナント 7th コードです。これらのコードは同じタイプのサウンドで、同じインターヴァルの構成音からできています。唯一の違いは、平行に置き換えられていて、それぞれ異なる音から始まっていることです。あなたがインプロヴァイズする時は、楽譜に書いてあるコード・シンボルを見て、そのコード・トーンを使うようにしましょう。これを、チェンジ（コード・チェンジ）をプレイする、または**は曲のコードを自分で解釈して演奏する**といいます。

LEAVE ME ALONE のコード・トーンを練習しましょう。音符の下に書いてある数字は、各コードのルートから見たインターヴァルを表しています。この曲ではすべてドミナント 7th コードなので、インターヴァルもすべて同じ（Root、3、5、♭7）です。

リフ

インプロヴィゼイションにおけるもう 1 つの有効な手段は、リックを 1 つ創り、それを何回もくり返す方法です。このようなリックのくり返しをリフといいます。リックに使われる音は、スケール、コード・トーン、メロディーの音のいずれか、またはこれらを組み合わせたものです。

次のエクササイズでは、下のリックを基にしたリフを演奏します。これがスムーズに弾けるようになるまで練習しましょう。

コール＆レスポンス

各リフを、CDの演奏どおりにくり返し演奏しましょう。

LISTEN 22 PLAY

シングル・リフのソロを書いてみる

LISTEN 19 PLAY

リフを基にして LEAVE ME ALONE のソロを創りましょう。そのリフはすべてのコードに対して合っているようにします。次ページの5線譜に書いて、それからCDと一緒に練習しましょう。

リックの置き換え

シングル・リックのソロですべてのコードに合ったサウンドを創るには、音の種類を少なくしてシンプルなものにすることが必要です。もしも音が込み入ったリフを創ってしまうと、コードに合わせて各リックを置き換える必要が出てきます。ちょうどこの曲に出てくる3つのドミナント7thコードの構成音が、それぞれ違うルートから始まるように移されているのと同じことです。

このリックがスムーズに演奏できるようになるまで、くり返し練習しましょう。これは最初のG7コードを基に創ってあるので、まずはこのリックをトランスポーズ前のオリジナル・キーとします。5線譜の下にはインターヴァルの度数が書いてあります。

このリックを置き換えるために、まずルートを新しいC7コードとD7コードのルートに変えて、その上に同じインターヴァルの音をそれぞれ積み上げます。これで3つのコードに合ったリックが創れたので、これらがスムーズに演奏できるようになるまで練習しましょう。

コール＆レスポンス

各リフを、CDの演奏どおりにくり返しましょう。

リフをトランスポーズしてソロを創る

リフを基にした LEAVE ME ALONE のソロを創りましょう。リフをコードに合わせて移し、下の5線譜に書いてからCDと一緒に練習します。

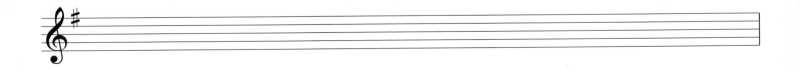

LESSON 16
読　譜

ヴァイオリン・パート譜

Cue Notes

1〜4小節めにかけての小さな音符は、ト音記号に直したベース・パートを書き出したキュー・ノートで、ベースの演奏も合わせて読むことで、ヴァイオリンがメロディーに入りやすくするために書かれている。

ヴァイオリン・パート譜を使って **Leave Me Alone** を演奏しましょう。3rdポジションで演奏できるのならば、メロディーを1オクターヴ上げてもかまいません。

リード・シート

LEAVE ME ALONE をCDと一緒に演奏し、リード・シートを確認しましょう。それからリフを基にしたソロを自分で創り、耳を使って各リックを移します。

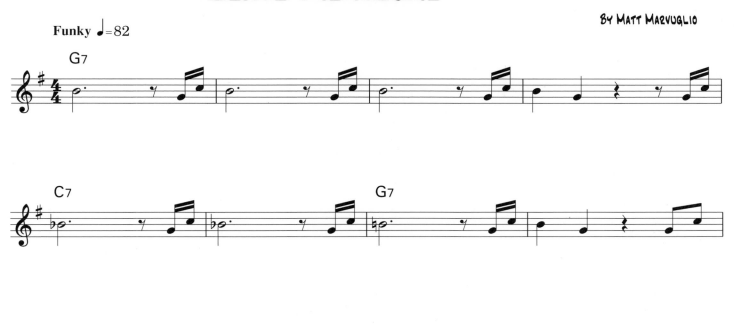

LEAVE ME ALONE

BY MATT MARVUGLIO

練習のポイント

> ***D.S. al Coda*** などでは、急に異なる場所に跳ぶので、最初から自分の弾く音を暗譜しておけば、よりスムーズに曲の進行を追うことができます。

CHAPTER 4 のまとめ
毎日の練習

ピッチ・ベンド

ある音のピッチを意図的に上げたり下げたりすることを、ピッチ・ベンドといいます。ヴァイオリンではこのテクニックは簡単なため、ヴァイオリン・プレイヤーはよく用います。ピッチ・ベンドは、必ず狙ってかけるようにしましょう。すべての音に対して常にかかりっぱなしにするのではなく、ヴィブラートと同様に効果的な装飾として使います。

Dの音をミディアム・スローで4拍弾きます。ベンドはかけずに、ストレートに弾きましょう。

もう一度同じ音を弾きます。普通に弾き始めて、それからピッチを下げましょう。

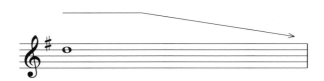

同様に、同じ音を普通に弾き始めて、それからピッチを上げましょう。

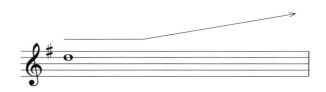

インプロヴァイズする際にも、ベンドは有効に使えます。演奏する際のチューニングを曲に合わせるという意味でも役立つでしょう。

ピッチ・ベンドの練習

CDのヴァイオリンに合わせて演奏しましょう。イントネーションを完全にまねて、各音の始めと終わりのピッチを正確にします。

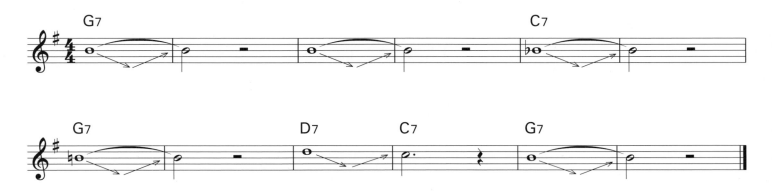

イントネーションとインターヴァルの練習

このエクササイズは、イントネーションのための練習です。これを2回くり返しますが、1回めは上の段を演奏し、2回めは下の段を演奏します。CDの音とあなたの音の間に音のうねり（パルス、ビート）が発生していたら、あなたのピッチは正確ではないということになります。ピッチを合わせるようにしましょう。

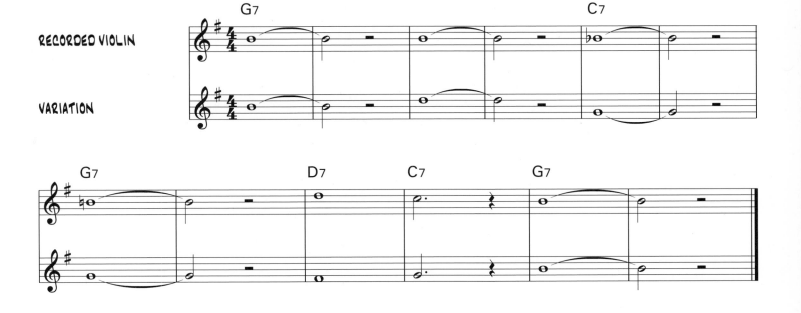

ファンク・リズム

CDと一緒に次のソロを練習しましょう。リズム・セクションと一緒にグルーヴするように、アーティキュレーションの組み合わせを選びます。そして自分の選んだアーティキュレーションを下の楽譜に書き込みましょう。

チェンジに合わせてプレイする

次のソロは3つの異なる要素から音を選んでいます。G7の時はGブルース・スケールから、C7の時はコード・トーンから、そしてD7の時もコード・トーンから音を選んでいますが、全体をとおして同じリズムのリックで創られています。最初は1人で練習し、できるようになったらCDと一緒に演奏しましょう。

練習のポイント

上のソロでは、同じリズムの1小節フレーズが何回もくり返されています。このリズムを覚えてしまえば、ソロは非常に演奏しやすくなるでしょう。

ソロの練習

CDに収録されているヴァイオリン・ソロを練習しましょう。演奏する前に、CDを聴きながら楽譜を読んでフィンガリングだけを確認します(ボウは使いません)。そして準備ができたらCDと一緒に演奏しましょう。

暗　譜

これまでに学んだテクニックを使ってソロを創りましょう。それを下の5線譜に書いてから練習し、暗譜して、最後は
CDと一緒に、1曲をとおして自分の演奏し、それを録音しましょう。

LISTEN **19** PLAY

ま　と　め

フォーム	進行	ハーモニー	スケール
12小節ブルース （1コーラス＝12小節）	イントロ：4小節 2コーラス：メロディー 2コーラス：ソロ 1コーラス：メロディー		

PLAY "LEAVE ME ALONE" WITH YOUR OWN BAND!
Leave Me Alone を自分のバンドで演奏しよう

PLAYING LIGHT FUNK

AFFORDABLE はファンク・チューンですが、音の間に空間が多く、より軽い感じです。同じ頃に台頭してきたスムーズ・ジャズのアーティストたちには、ライト・ファンクというスタイルはよく見られます。*David Sanborn*, *Earl Klugh*, *Walter Beasley*, *the Rippingtons*, *Dave Grusin*, *Kenny G*, *Bob James*, *Anita Baker* などを聴いてみるとよいでしょう。

LESSON 17
テクニックと理論

AFFORDABLE を聴いて、その後CDと一緒に演奏します。ヴァイオリン・パートをうまく合わせるようにしましょう。

LISTEN 25 PLAY

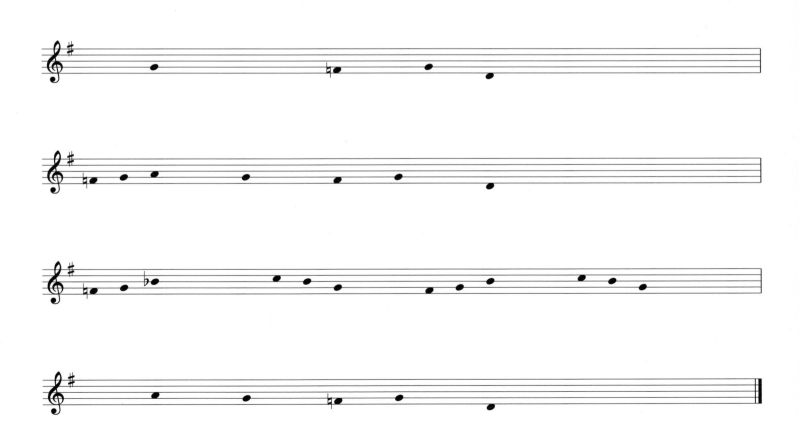

ダイナミクス

AFFORDABLE のメロディーは、ほとんどが長く延ばす音で構成されています。CD の演奏でヴァイオリン・プレイヤーは、このメロディーをより歌わせるためにダイナミクス（音量の大きさ、小ささ）に変化をつけてます。この曲では、各フレーズの最後の音はデクレシェンド（音を徐々に小さくする）で演奏されていて、その表記方法として左側が開いた記号（ ＞ ）が使われます。これによって、音量が大きい位置（くさび型の一番開いているところ）がどこで、小さくなる位置（一番右側の閉じているところ）はどこなのかがわかるのです。デクレシェンドの反対はクレシェンド（音を徐々に大きくする）で、右側が開いた記号（ ＜ ）で表します。

CD と一緒に AFFORDABLE のメロディーを練習し、1、2、4 番めのフレーズの最後をデクレシェンドで演奏しましょう。そしてダイナミクスがどのようにメロディーを形作っているのかに注目します。サード・ポジションで演奏できる場合は、1 オクターヴ上げてみましょう。

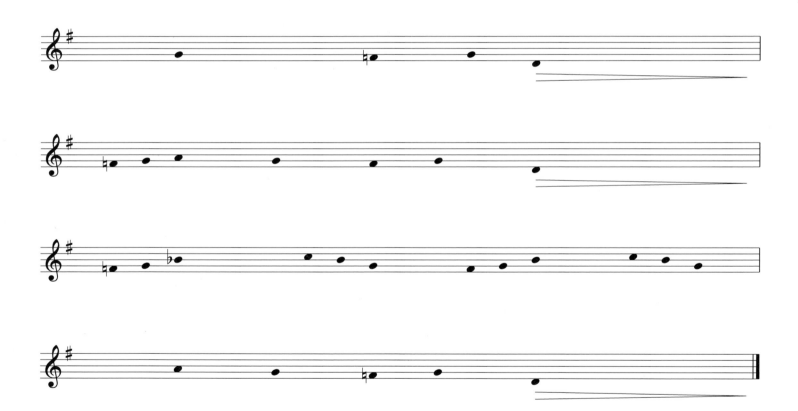

LESSON 18
グルーヴを学ぶ

ライト・ファンクのグルーヴ

LISTEN **25** PLAY

AFFORDABLE を聴きましょう。この曲のグルーヴは基本的に8分音符から出てくるものですが、Bセクションではシンコペートした16分音符も関係してきます。バンドがバス・ドラムに対して非常にタイトに合わせているところに注目します。

このフィールを身につけるためには、16分音符をカウントしながら、4拍ある各4連符の真ん中2つの音を抜く練習をしましょう。できるだけ大きな声でカウントし、メトロノームかCDのクリックを使って、4分音符を4拍鳴らして練習します。

AFFORDABLE はライト・ファンク・チューンです。すべてのファンク・ミュージックがそうであるように、8分音符はストレート・フィールで演奏されます。より軽やかなサウンドにするために、リズム・セクションのヴォリュームも抑えめで、音数も少なめにプレイしています。それによって、他のファンク・チューンに比べるとヴァイオリンが際立ちます。他にどんなファンクの要素があるかを探してみましょう。

AFFORDABLE を聴いてパルス(拍)の位置を確認し、16分音符に細分化してとらえます。バックビートは強調されていますが、ヘヴィー・ファンクほどではありません。

リズム・セクションとしてのヴァイオリン

リズム・セクションとしてヴァイオリンがよりグルーヴするために、CDと一緒にリズム・セクションのパートを演奏しましょう。このヴァイオリンのラインはベース、ギター、キーボードのパートを組み合わせたものです。演奏しながらバックビートと16ビート・フィールを感じましょう。

この曲には2種類のグルーヴがあります。1、2、4番めのフレーズとイントロでは、次のリフを演奏します。

LISTEN 26 PLAY

3番めのフレーズの間は、次のリフを演奏します。

LISTEN 27 PLAY

LESSON 19
インプロヴィゼイション

フォームと進行

AFFORDABLE を聴いて、16小節のフォームを確認しましょう。

LISTEN **25** PLAY

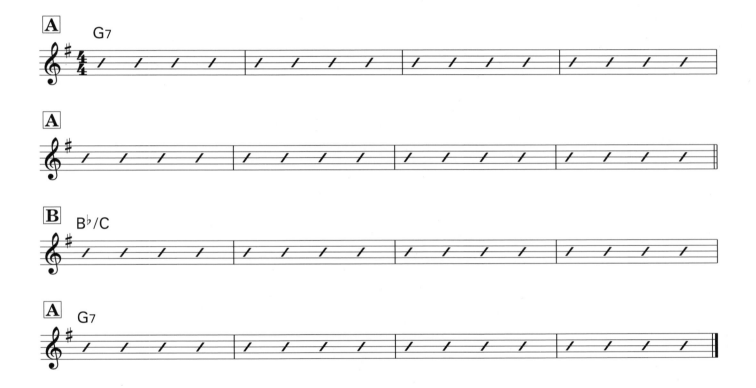

キーボード、ギター、ベースのパートを練習してわかったように、この曲には大きく分けて 2 つの音楽的なアイディアがあります。あなたがメロディーを演奏する場合は、このコントラストをふまえて演奏しましょう。A セクションは 8 小節あり、とてもゆったりとした感じで、2 つのメロディーからできています(アイディア A)。B セクションはもう少しリズムが強く、4 小節あります(アイディア B)。そしてまた A セクションに戻って、それが 4 小節あります。この曲のフォームはシンプルな AABA です。

練習のポイント

> フォームの最後にアイディア A が 4 小節あるところなどは、次の新しいコーラスのアタマに 8 小節あるアイディア A と混同しがちです。全部合わせるとアイディア A は 12 小節になります。注意してカウントしましょう。

LISTEN 25 PLAY

曲をとおして聴きましょう。そしてヴァイオリン・ソロの間メロディーを歌って、フォームと自分の場所をキープします。CDの演奏ではどのような進行になっているでしょうか？ イントロやエンディングはあるでしょうか？ CHAPTER 最後のまとめを見る前に、自分でチェックしましょう。

インプロヴィゼイションのアイディア

スケール：Gメジャー＆マイナー・ペンタトニック・スケール

この曲のAセクションでは、Gメジャー・ペンタトニック・スケールが使用できます。

この曲のBセクションでは、Gマイナー・ペンタトニック・スケールが使用できます。

コール＆レスポンス

1. それぞれのフレーズを、CDの演奏どおりにくり返し演奏する。
2. それぞれのフレーズに対して、インプロヴァイズして応答する。Gペンタトニック・スケールを使って、各フレーズの音やリズムをまねしながら演奏する。

メロディーの装飾

曲のメロディーは、ソロを創るための最高の素材です。メロディーを演奏する時はいつでも、その音楽のもっているムードを大切にしましょう。なぜなら、曲のメロディーによってその音楽のキャラクターや、意図するところが決まってくるからです。

曲のメロディーを常に指針として念頭に置き、インプロヴァイズする時にはそれをガイドとして使いましょう。ソロの中心となるイメージとしてメロディーをキープし、いくつかの音を加えたり動かしたり、またはリズムを変えたりしてインプロヴァイズします。このような方法を装飾といいます。

AFFORDABLE の装飾ヴァージョンを練習しましょう。できるようになったらCDと一緒に演奏します。

LISTEN 25 PLAY

前ページの装飾ヴァージョンを、オリジナル・メロディーの上に重ねて演奏しましょう。CDと一緒に演奏すると、どれがつけ加えられた音なのかがわかります。

メロディーの装飾ヴァージョンを創って、下の5線譜に書きましょう。つけ加える音は、Gペンタトニック・スケールとメロディーから導き出します。

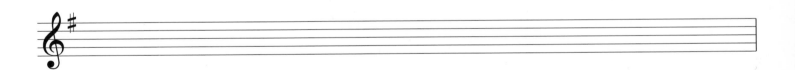

LISTEN 29 PLAY

あなたがこれまでに学んだテクニックを使って、1コーラス分のソロを創りましょう。それを暗譜して、CDと一緒に練習しましょう。

LESSON 20
読　譜

ヴァイオリン・パート譜

VIOLIN：パートの名称。今まで使ってきたパート譜は、ヴァイオリンのために書かれたもの。ヴァイオリンの楽譜はＣキー（コンサート）で書かれるので、キーボードやギターなどと楽譜のキーは同じ。しかし、ヴァイオリン・パート譜にはヴァイオリン独自の記譜法が使われている。

ヴァイオリン・パート譜を使い、CDと一緒にAFFORDABLEを演奏しましょう。リズム・セクション（ベースとキーボード）のパートを示すキュー・ノートが書いてあります。自分の場所をキープするために、キュー・ノートを利用しましょう。

LISTEN **29** PLAY

AFFORDABLE
VIOLIN PART
BY MATT MARVUGLIO

リード・シート

AFFORDABLE を CD と一緒に演奏し、リード・シートを確認しましょう。

LISTEN **29** PLAY

AFFORDABLE

BY MATT MARVUGLIO

Light Funk ♩=84

CHAPTER 5 のまとめ
毎日の練習

ヴィブラート

メロディー（特に長い音価の場合）を歌わせるためのもう1つの方法に、ヴィブラートがあります。ヴィブラートは、音のピッチをコントロールしてわずかに振幅を与え、歌うように表現するテクニックです。クラシック音楽ではしばしばヴィブラートを用います。初期のジャズなどの古いポピュラー音楽においては、振幅の幅が広くて早いヴィブラートが使われていましたが、現代のポップス、R&B、ロック、ジャズなどの演奏スタイルでは、ヴィブラートの早さと深さ（ピッチの変化）にはより多くのヴァリエーションがあります。ロング・トーンをストレートに始めてから、徐々にヴィブラートを加える練習をくり返し行いましょう。さらにより多くの音楽を聴き、ヴィブラートの使い方に関する感覚を磨きましょう。

音にヴィブラートを加えるためには、まずその音の正確なピッチが出るポジションに指を置きます。それから指を回転させるように前後に動かし、センター・ピッチを少し上下させます。このテクニックはコツをつかむのが難しいため、先生に指導を受けるとよいでしょう。

ヴィブラートには、フィンガー、アーム、リストなど、何種類かの方法があります。これらをすべて練習し、あなたにとって最も自由にコントロールでき、ヴァラエティ豊かなヴィブラートが演奏できる奏法を見つけましょう。それにより、カラフルで幅広い表現力を得ることができます。

CDと一緒にロング・トーンを練習しましょう。各音はストレートに弾き始め、それから少しずつヴィブラートを加えて波線に合わせるようにします。

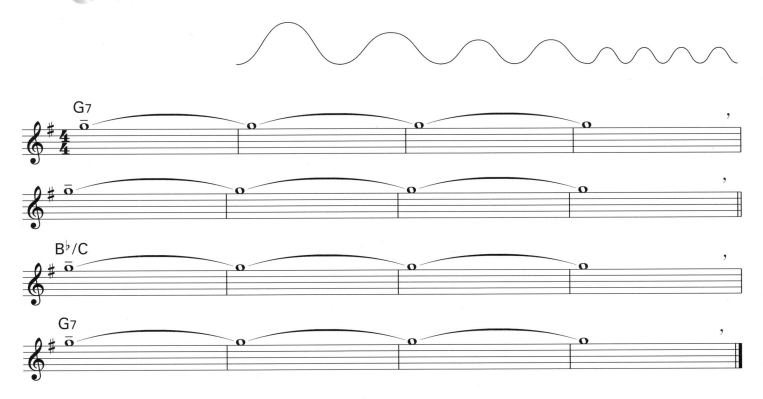

ダイナミクスとヴィブラート

1、2、4番めのフレーズの終わりに少しヴィブラートをかけ、ダイナミクスとヴィブラートを組み合わせましょう。かけすぎないように注意します。さりげないヴィブラートでも十分にフレーズを歌わせることができます。

もしあなたがセカンド・ポジションやサード・ポジションで演奏できるのなら、以下のフィンガリングを使いましょう。それによって開放弦をなくし、ヴィブラートが使えるようになります。セカンド・ポジションやサード・ポジションで演奏できない場合は、ファースト・ポジションでメロディーを演奏し、開放弦の代わりに小指を使って少しだけヴィブラートをかけましょう。

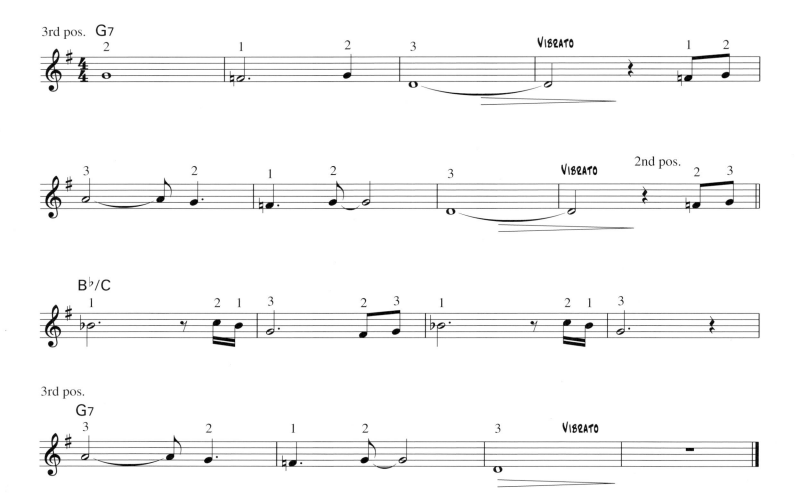

ペンタトニック・スケールの練習

LISTEN 29 PLAY

曲のコードとGペンタトニック・スケール（楽譜の下段を参照）を使ってソロを創りましょう。異なるリズムを使い、ライト・ファンクのグルーヴに合わせます。それをCDと一緒に練習しましょう。

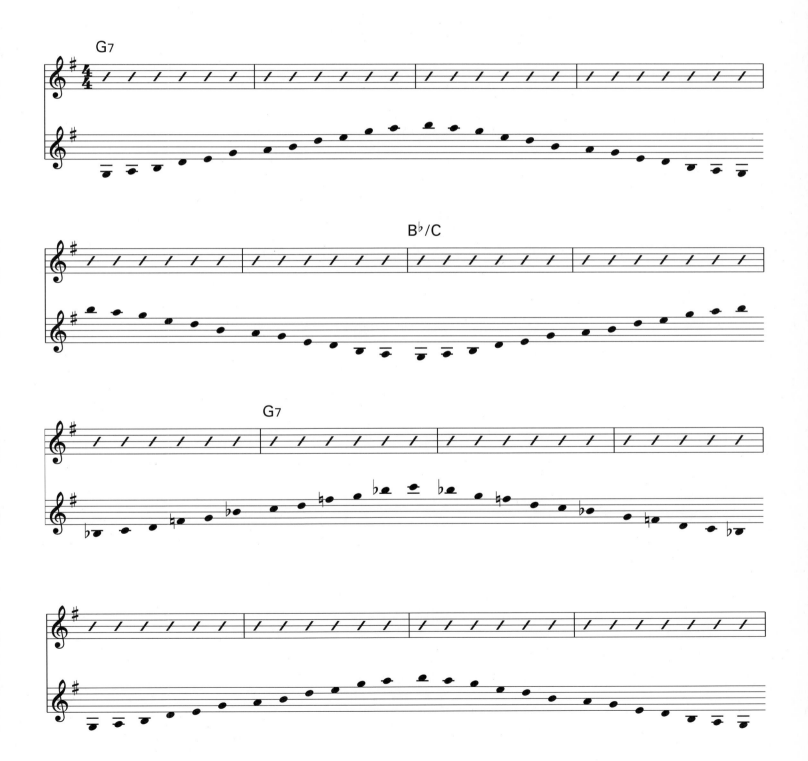

ソロの練習

次のソロをCDと一緒に練習しましょう。Gペンタトニック・スケールの使い方に注目します。

暗　譜

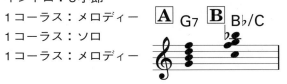

これまでに学んだテクニックを使ってソロを創りましょう。それを下の5線譜に書いてから練習し、暗譜して、最後にCDと一緒に1曲をとおして録音しましょう。

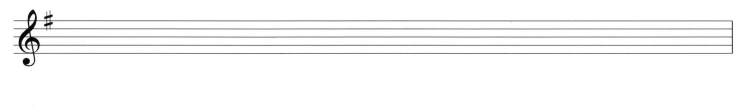

まとめ

フォーム	進行	ハーモニー	スケール
16小節	イントロ：8小節		
AABAフォーム	1コーラス：メロディー	A G7　B B♭/C	
（1コーラス=16小節）	1コーラス：ソロ		Gメジャー・ペンタトニック　Gマイナー・ペンタトニック
A：4小節	1コーラス：メロディー		
B：4小節			

PLAY "AFFORDABLE" WITH YOUR OWN BAND!

Affordable を自分のバンドで演奏しよう

PLAYING HARD ROCK

DON'T LOOK DOWN はハード・ロックです。ハード・ロックは1960年代後半に現れました。特徴としては、ヘビーなベースや長く延ばすコード・サウンド、アンプを使う楽器で演奏される、などがあげられます。ハード・ロックをよく知るためには、*Aerosmith*，*Metallica*，*Powerman 5000*，*the Allman Brothers Band*，*Rob Zombie*，*Godsmack*，*311*，*Stone Temple Pilots*，*Black Crowes*，*Steve Vai*，*Smashing Pumpkins* などを聴いてみるとよいでしょう。

LESSON 21
テクニックと理論

LISTEN **30** PLAY

DON'T LOOK DOWN を聴いて、その後CDと一緒に演奏しましょう。ヴァイオリンはところどころでサックスとハーモニーを創り、ギターと一緒にメロディーを弾いています。この曲には、2つのパートがあります。

1つめのパートには、4つのフレーズがあります。

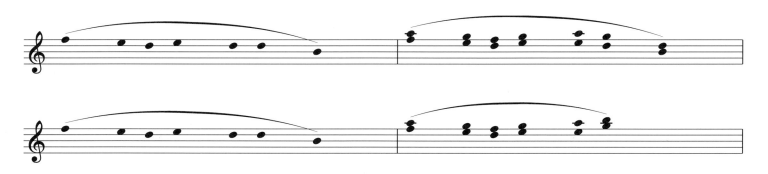

2つめのパートでは、リフが4回くり返されます。

そしてベースがリフを2回くり返して終わります。

メロディーのハーモナイズ

もしあなたのバンドにヴァイオリンが2人、またはヴァイオリンとサックス、というようにメロディー楽器が2人いるなら、2人一緒にメロディーを演奏することもできますし、ハーモニーを加えることもできます。

ハーモニーをつけ加える場合、1人がメロディーの3度上か下のハーモニー・ラインを演奏するのが最も簡単な方法です。やや難しいので、注意深く音を聴きましょう。メロディーのある音は、3度上でハーモナイズするとよいかもしれませんし、またある音は、下でハーモナイズした方がよいかもしれません。ハーモニー・ラインを演奏する場合は、スムーズに流れて、音の跳躍ができるだけ少なくなるように心がけます。

この曲のハーモニー・ラインに注目しましょう。ほんのいくつかの音がハーモナイズされて、あとはユニゾンのメロディーへと戻ります。他にもハーモナイズの方法はたくさんありますが、あなたは何かアイディアが浮かぶでしょうか？いくつかの異なるアイディアを試し、CDと一緒に演奏しましょう。

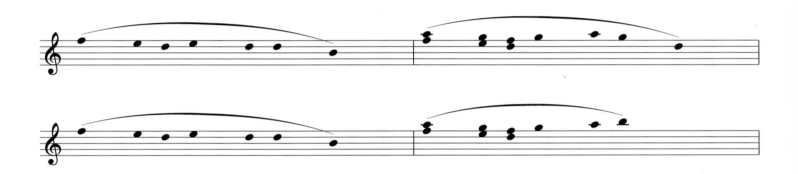

LESSON 22
グルーヴを学ぶ

ハード・ロックのグルーヴ

DON'T LOOK DOWN を聴きましょう。この曲ではロックやメタルによくあるグルーヴが使われていますが、それは非常に重たい感じで、ベースやドラムスはシンプルです。このタイプの音楽は巨大なアリーナなどで演奏されることが多く、細かい音は複雑な残響で聴き取れなくなるため、各パートはシンプルである必要があります。音数が少ないことにより、演奏のインパクトが強くなります。過ぎたるは及ばざるがごとしです。

ソロの間、1つめのパートでギターはベースと同じリフを弾き、2つめのパートでパワー・コードを弾いています。そしてキーボードはオルガン・サウンドでサスティーンの効いたコードを弾いています。

LISTEN **31** PLAY

DON'T LOOK DOWN の1つめのパートを聴きながら、足は4分音符のパルスに合わせてタップし、バックビートに合わせてチャンクしましょう。

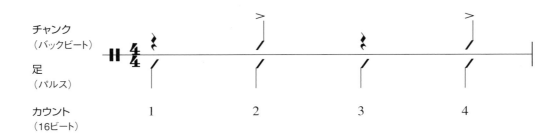

もう一度同じことをしますが、今度は大きな声で16分音符を1234、2234、3234、4234というようにカウントします。

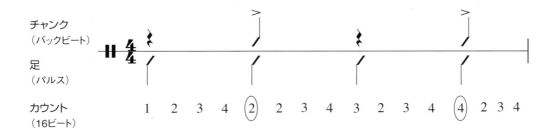

DON'T LOOK DOWN を覚える

１つめのパートで、ベースはシンコペートした16分音符のリフを弾いています。あなたがメロディーを演奏する時は、このリフのグルーヴに合わせましょう。エンディングではリフそのものを演奏します。

まず、リズムをチャンクする練習をしましょう。または、リズムに集中できるように１音だけで演奏します。

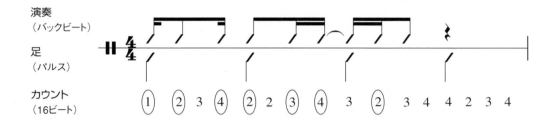

次に、実際の音を出してみましょう。リズム・セクションに合わせます。CDの全員で演奏しているトラックに合わせて演奏する場合は、**A**セクションでこのリフをメロディーの代わりに演奏してもよいでしょう。

２つめのパートもまたシンコペートした16分音符を含んでいるフレーズです。このリズムも練習しましょう（イントロも同じ）。

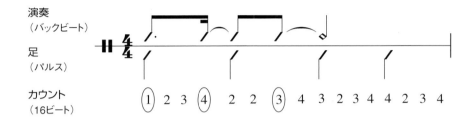

実際の音を使って練習しましょう。

CDと一緒に、１曲をとおして練習しましょう。リズム・セクションとともにグルーヴします。

LESSON 23
インプロヴィゼイション

フォームと進行

CDを聴いて、自分の耳だけでフォームと曲の進行を確認しましょう。フォームの各セクションはどれくらいの長さでしょうか？ イントロとエンディングはありますか？ 各コードは何小節あるいは何拍分の長さでしょうか？ それらについて判ったことをできるだけたくさん書き出します。そして、このCHAPTERの最後の、まとめの項を見てチェックしましょう。

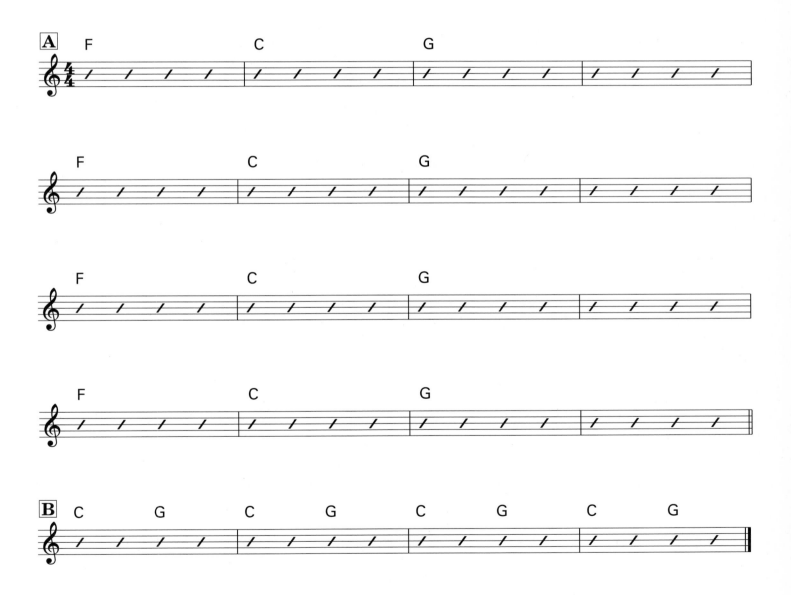

インプロヴィゼイションのアイディア

スケール：Gメジャー＆マイナー・ペンタトニック・スケール

この曲のAセクションでは、Gメジャー・ペンタトニック・スケールが使用できます。

この曲のBセクションでは、Gマイナー・ペンタトニック・スケールが使用できます。

これら2つのスケールを練習しましょう。そしてあなたがインプロヴァイズする時に、コードに合わせて使い分けられるようにしましょう。

コール＆レスポンス

コード・トーンとペンタトニック・スケールを組み合わせる

1. それぞれのフレーズを、CDどおりにくり返し演奏する。
2. それぞれのフレーズに対して、インプロヴァイズして応答する。その場合に、Gペンタトニック・スケールを使って、各フレーズの音やリズムをまねしながら演奏する。

LISTEN **33** PLAY

あなたのアイディアをいくつか書きましょう。

LISTEN **34** PLAY

これまでに学んだテクニックを使って、1コーラス分のソロを創りましょう。それを暗譜して、CDと一緒に練習しましょう。

LESSON 24
読　譜

ヴァイオリン・パート譜

1カッコ、2カッコの表記。1回めはこの表記の1カッコまでを演奏し、リピート記号まで進み、最初のリピート記号（‖:）に戻る。2回めをくり返して演奏するが、その時は1カッコを跳ばして2カッコに進む。その後は、次のフォームに続いていく。

ヴァイオリン・パート譜を使い、CDと一緒に DON'T LOOK DOWN を演奏しましょう。

リード・シート

リード・シートを見ながら、CDと一緒に DON'T LOOK DOWN を演奏しましょう。

練習のポイント

練習する時は、自分の場所を見失わないようにするためにリード・シートを活用しましょう。あなたがソロをとっている時も、できるだけリード・シートを追います。そうすれば、リード・シートと合わせて自分の場所が確認でき、見失わないで演奏できるばかりでなく、曲を覚えることもできるでしょう。

CHAPTER 6 のまとめ
毎日の練習

エンベリッシュメント（装飾）の練習

DON'T LOOK DOWN のメロディーを装飾する練習をしましょう。下の楽譜に書いてある4小節の装飾メロディーを演奏してから、自分で創った4小節の装飾メロディーを演奏しましょう。自分で創るメロディーは、楽譜に書いてある各4小節メロディーと同じリズムで、元のメロディーの音を含むようにします。

よい作曲家はまねをし、偉大な作曲家は盗み取る、と昔からいいます。音楽を勉強するための最良の方法は、聴いて、コピーして、盗み取ることでしょう。ギター・プレイヤー、シンガー、ドラマーなどのサウンドや演奏スタイルなどは、そのすべてがあなたにとって宝の山かもしれません。インプロヴィゼイションを学ぶための方法は、新しい言語を習得する場合と全く一緒で、聴いて、コピーして、創ります。何かのメロディーや、どこからか得たアイディアを基に装飾します。それが、流暢でクリエイティヴなあなた独自の音楽的言語を創る方法なのです。できるだけたくさんの音楽を聴いて、コピーして、盗み取り、あなたのものにしましょう。

リズムの練習

このエクササイズは、一定の16ビートを演奏する能力を高めるためのものです。さまざまなピッチや音の組み合わせで練習しましょう。メトロノームを使用し、スロー・テンポから始めましょう。徐々にテンポを上げていき、CDの演奏（テンポ88）より早くできるようになるまで練習しましょう。その後CDと一緒に演奏し、これまでに学んださまざまなピッチ・マテリアルを練習します。シンプルなピッチの使い方でもかまいません。一定のタイムを維持することと、アクセントをきちんと指定の音につけることに集中しましょう。

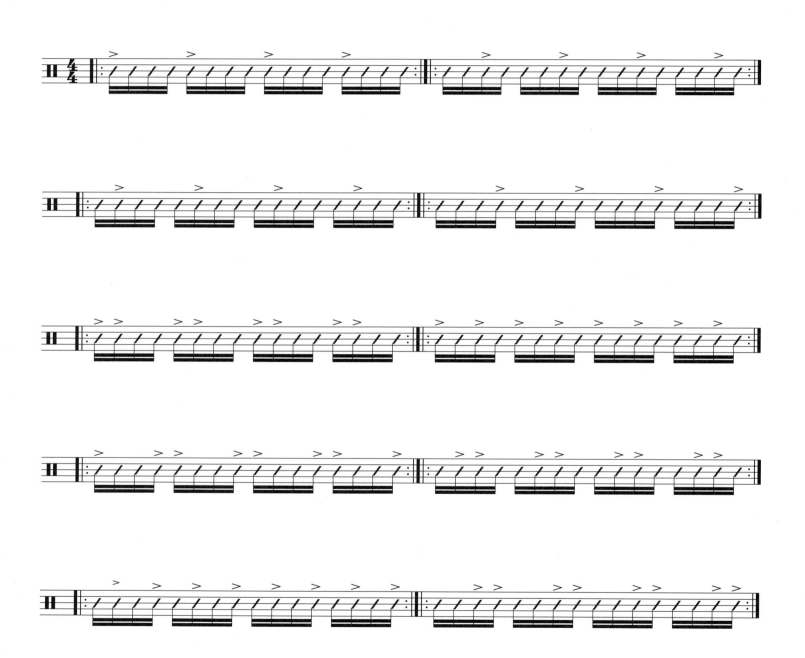

ソロの練習

　CDで演奏されているソロを練習しましょう。できるようになったら、CDと一緒に演奏しましょう。

暗　譜

これまでに学んだテクニックを使ってソロを創ります。それを楽譜に書いてから練習し、暗譜して、最後はCDと一緒に1曲をとおして演奏し、それを録音しましょう。

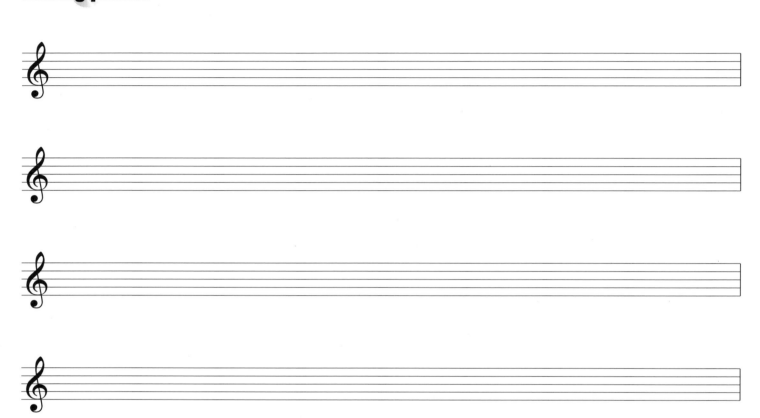

まとめ

フォーム	進行	ハーモニー	スケール
20小節	イントロ：4小節	F　C　G	Gメジャー・ペンタトニック　　Gマイナー・ペンタトニック
AB フォーム	1コーラス：メロディー		
（1コーラス＝20小節）	1コーラス：ソロ		
A：16小節	1コーラス：メロディー		
B：4小節	エンディング：2小節		

PLAY "DON'T LOOK DOWN" WITH YOUR OWN BAND!
Don't Look Down を自分のバンドで演奏しよう

PLAYING BOSSA NOVA CHAPTER 7

TAKE YOUR TIME は**ボサ・ノヴァ・チューン**です。ボサ・ノヴァは、アメリカの
ジャズとブラジルの伝統的なダンス音楽であるサンバが融合して、ブラジル
で始まった音楽です。さまざまなスタイルのボサ・ノヴァを知るために、*Stan
Getz*，*Antonio Carlos Jobim*，*Eliane Elias*，*Astrud Gilberto*，*Flora Purim*，*Dave
Valentine*，*Spyro Gyra* などをを聴いてみるとよいでしょう。

LESSON 25
テクニックと理論

TAKE YOUR TIME を聴きましょう。メロディーは 2 つの長いフレーズからできています。CD と一緒に練習し、ヴァイオリ
ンに合わせるようにしましょう。

LISTEN 35 PLAY

１つめのフレーズ

２つめのフレーズ

１つのポジション内での指の位置

　１つのポジションの中でも、何を演奏するかによって指の位置は変わってきます。TAKE YOUR TIMEのメロディーがよい例です。

　下のエクササイズでは、トニックは常にD音であるにもかかわらず、人差し指と中指の位置が変わるところに注意します。他のスケールもこれと同様に１つのポジションで練習すれば、正確なピッチで演奏できるようになります。

　CDと一緒に練習しましょう。その後TAKE YOUR TIME を演奏し、指の位置が変わってもスムーズに演奏できるかどうか確認しましょう。

LESSON 26
グルーヴを学ぶ

ボサ・ノヴァのグルーヴ

TAKE YOUR TIME を聴きましょう。ボサ・ノヴァは、ブラジルで生まれた音楽スタイルが基になっています。1曲をとおして、ボサ・ノヴァの特徴となっている2小節のリズム・パターンがくり返されます。ドラムスはそれをクロス・スティック（クローズド・リム・ショット）で演奏しています。

くり返されるリズムは、本来アフリカを起源とし、アフロ・カリビアンや中米、南米も含むラテン・アメリカン・スタイルです。

練習のポイント

曲に合わせる練習をする時には、他の楽器のパートを演奏してみるのもよい方法です。そうすることで曲に合わせやすくなります。

CDのドラムスを聴いて、以下のドラム・ビートを追いましょう。ドラマーは1曲をとおしてパターンに若干のヴァリエーションを加えていますが、これがTake Your Timeの基本ビートです。スネア・ドラムのクロス・スティックが上と同じパターンをくり返しているところに注目しましょう。

CDと一緒にバス・ドラムのパートを練習しましょう。リズムを完璧に合わせます。

ベースのリズムはバス・ドラムと同じで、1曲をとおしてこの2小節のリズム・パターンが続きます。CDと一緒にベース・パートを練習しましょう。

スネア・ドラムのリズムを練習しましょう。このレッスンの最初に出てきたボサノヴァ・パターンと同じリズムです。ボサノヴァのフィールでグルーヴしましょう。

キーボードの2小節のリズムを練習しましょう。キーボードはコードを弾いているので、コードのトップ・ノートを使います。CDのキーボードに合わせます。1オクターヴ上げてもかまいません。

チャレンジ

自分の耳だけを頼りに、ギター・パートを聴き取りましょう。

LESSON 27
インプロヴィゼイション

フォームと進行

CDを聴いて、自分の耳だけでフォームと曲の進行を確認しましょう。そして自分の答えを、コード・チャートとCHAPTERの最後にあるまとめでチェックします。その後、以下のレッスンに進みましょう。

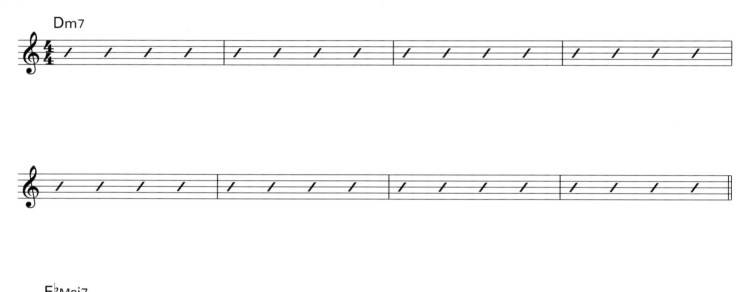

インプロヴィゼイションのアイディア：Dペンタトニック・スケール

始めの12小節にあるDm7とE♭Maj7には、Dマイナー・ペンタトニック・スケールを使ってインプロヴァイズすることができます。このスケールをヴァイオリンで練習しましょう。

Dマイナー・ペンタトニック・スケールを、ヴァイオリンのレンジ全体にわたって練習しましょう。

最後の4小節に出てくるDMaj7には、Dメジャー・ペンタトニック・スケールを使うことができます。メジャー・ペンタトニック・スケールはメジャー・コードやメジャー7thコード上で使うことができます。このスケールをヴァイオリンで練習しましょう。

Dメジャー・ペンタトニック・スケールを、ヴァイオリンのレンジ全体にわたって練習しましょう。

コール＆レスポンス

1：それぞれのフレーズを、CDどおりにくり返し演奏する。

2：それぞれのフレーズに対して、インプロヴァイズして応答する。Dペンタトニック・スケールを使って、各フレーズの
音やリズムをまねしながら演奏する。

Dペンタトニック・スケールを使って、あなた自身のアイディアをいくつか書きましょう。

LISTEN 36 PLAY

これまでに学んだテクニックを使って、1コーラス分のソロを創りましょう。それを暗譜して、CDと一緒に練習し、録音しましょう。

LESSON 28
読　譜

ヴァイオリン・パート譜

 前の２小節と同じことを、さらに２小節演奏する。

ヴァイオリン・パート譜を使い、CDと一緒に TAKE YOUR TIME を演奏しましょう。メロディーだけではなく、ベース・ラインとキーボード・ラインも演奏できます。その場合はtrack 35を使いましょう。

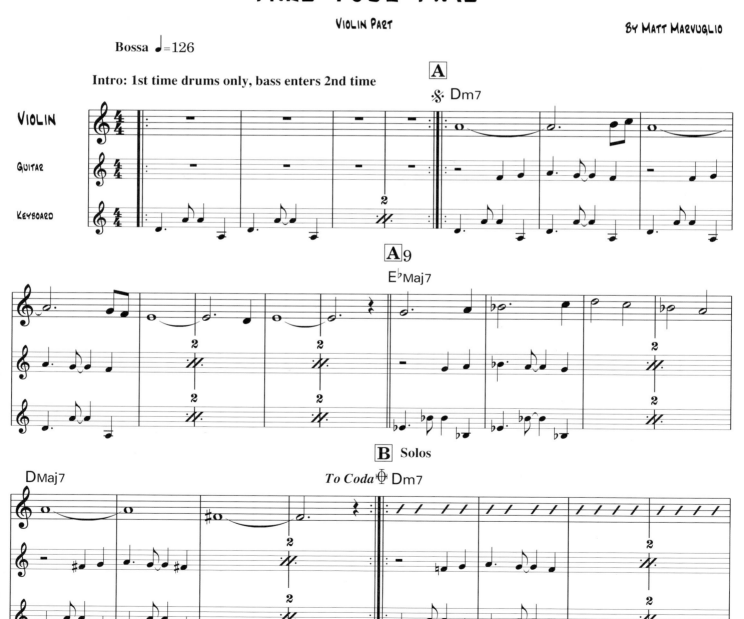

TAKE YOUR TIME
VIOLIN PART
BY MATT MARVUGLIO

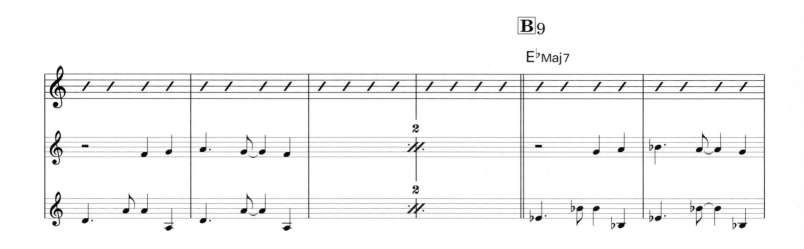

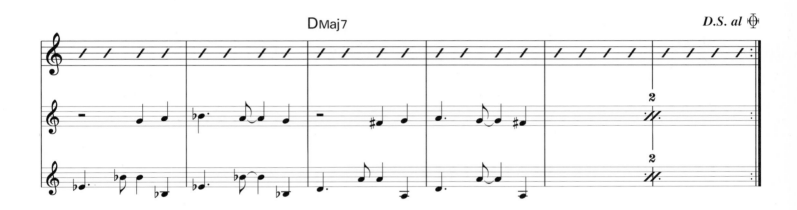

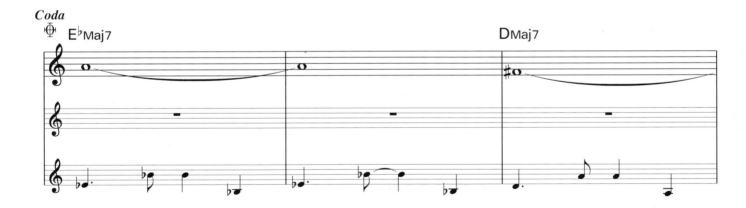

リード・シート

リード・シートを見ながら、TAKE YOUR TIME をCDと一緒に演奏しましょう。

LISTEN **36** PLAY

TAKE YOUR TIME

BY MATT MARVUGLIO

CHAPTER 7のまとめ
毎日の練習

コード・トーンとテンション

テンション・ノートは、コード・トーンに追加してサウンドを拡張するものです。以下の例はコードのアルペジオを拡張したもので、これらの音もまた、あなたがソロをとる時に大変役に立ちます。音符の下にTと記しているのは、テンション・ノートです。

コール＆レスポンス

1. それぞれのフレーズを、CDどおりにくり返し演奏する。テンションの使い方に注目する。
2. それぞれのフレーズに対して、インプロヴァイズして応答する。フレーズのサウンドやリズミック・フィールをCDの演奏どおりにまねしながら、コード・トーンを使って演奏する。そしてCDの演奏で使われているのと同じテンションを使う。

あなたのアイディアをいくつか書きましょう。Dペンタトニック・スケール、Dm7、E♭Maj7、DMaj7の各コード・トーンとテンションを用います。

スケールを覚える

コード・トーンとテンションは、インプロヴィゼイションにとって大切な素材ですが、スケールもまた重要です。ペンタトニックやブルース・スケールは、アイディアの宝庫といえるでしょう。さらに他にもアイディアの基となるスケールはたくさんあります。すでに知っているコードやスケールを違和感なく演奏できるのと同様に、新しいものも練習して、使えるようにしましょう。

どんな新しいスケールを覚えるとしても、その方法はこれまでシンプルなスケールを学んできたものと同じです。

1．オクターヴ内だけで上行、下行し、どのような構成音なのかに注目する。

2．ヴァイオリンのすべての音域を使って、最低音から最高音まで出せる限りすべてのスケール・ノートを弾く。

3．メトロノームやプレイ・アロングCDなどと一緒に、リズムを合わせたりメロディーに応用するための練習をする。本書のエクササイズで行っていることと同じ。

4．新しく学んだスケールを使って、ソロを書く。

新しいスケールを習得できれば、それを音楽的に使うことができます。新しいスケールを基にしたメロディーを書くことは、そのスケールをマスターするために大変有効です。以下の3つのスケールは、TAKE YOUR TIME に用いることができます。この方法を使って覚えましょう。

D ドリアン・スケール (モード) は、Dm7 コードに対して使うことができます。

D フリジアン・スケール (モード) は、E♭Maj7 コードに対して使うことができます。

D メジャー・スケールは、DMaj7 コードに対して使うことができます。

前出の方法で、これらのスケールを練習しましょう。Lesson 25 で学んだように、指の位置を確認します。メジャー・スケールから見ると、ドリアンは中指が半音低くなります。さらにドリアンから見ると、フリジアンは人差し指が半音低くなります。半音上げたり下げたりする場合のフィンガリングを練習しましょう。いろいろな曲を演奏する時に役立ちます。

新しいスケールやさまざまなアイディアを練習した時のように、1 つひとつの音に集中し、注意深く聴き、指と耳を一致させましょう。

ソロの練習

CDで演奏されているソロを練習しましょう。ロング・トーン、コード・トーン、テンションの使い方に注目します。どのようなスケールが使われているかを探究しましょう。

暗 譜

これまでに学んだテクニックを使ってソロを創ります。それを下の5線譜に書いてから練習し、暗譜して、最後にCDと一緒に1曲をとおして演奏し、それを録音しましょう。

LISTEN 36 PLAY

まとめ

フォーム	進行	ハーモニー	スケール
16小節	イントロ：8小節		
ABフォーム	2コーラス：メロディー		
（1コーラス＝16小節）	2コーラス：ソロ		
A：8小節	1コーラス：メロディー		
B：8小節	エンディング：8小節		

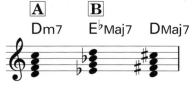

PLAY "TAKE YOUR TIME" WITH YOUR OWN BAND!
Take Your Time を自分のバンドで演奏しよう

PLAYING STOP TIME

STOP IT は、**ストップ・タイムがあるブルース/ジャズ・チューン**です。ストップ・タイムとは音のかけ合いのようなもので、ブルースやジャズでは非常によく見られるものです。このようなスタイルの音楽をさらによく知るために、*Miles Davis*、*John Coltrane*、*Jim Hall*、*Sarah Vaughn*、*Bill Evans*、*Ella Fitzgerald*、*Louis Armstrong*、*Abbie Lincoln*、*Dizzy Gillespie*、*Charlie Parker* などを聴いてみるとよいでしょう。

LESSON 29
テクニックと理論

STOP IT を聴いて、その後CDと一緒にメロディーを演奏しましょう。ヴァイオリン・パートをうまく合わせるようにします。メロディーにはたった3種類のリックしかありません。

LISTEN 39 PLAY

アーティキュレーション

このメロディーを歌わせるためには、それぞれのリックに対して異なるアーティキュレーションを使うという方法があります。1、3、5番めのリックはレガートで、各音がつながるように演奏しましょう。次のようにスラーを使った表記もしばしば使われます。最初の音だけにレガートのアーティキュレーションをつけましょう。

３番めと５番めのリックの後にくり返し出てくる２つめのリックは、５音で構成されており、スタッカートとレガートが交互に使われています。

９小節めのリックもレガートのアーティキュレーションで演奏します。

LISTEN **40** PLAY

CDと一緒にメロディーを練習し、これらのリックに上記のアーティキュレーションをつけましょう。

LESSON 30
グルーヴを学ぶ

ストップ・タイム・ブルースのグルーヴ

Stop It を聴いてみましょう。このシンバル・ビートは本来ジャズの特徴的なリズムであり、1940年代以降主流なパターンとなっているものです。基本的なグルーヴはシャッフルと同じです。このパターンは、*Count Basie*，*Miles Davis*，*John Coltrane*，*Duke Ellington* など、多くのジャズ・アーティストたちによって使われてきました。

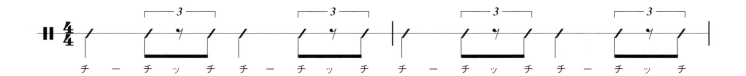

ストップ・タイム

ストップ・タイムでは、グルーヴはストップ・タイム・キック（ブレイク）によって中断させられます。以下のリズム譜は、それを示したものですが、通常その長さは1拍か2拍くらいで、その部分ではメロディーが中断されます。このようにメロディーがストップするためにストップ・タイムと呼ばれているのです。

CDと一緒にメロディーを演奏しましょう。ヴァイオリン・パートを合わせるようにします。この曲では、ヴァイオリンはストップ・タイム・セクションの間もメロディーを演奏しています。パルスに合わせてタップしながらリズムを細分化してとらえ、グルーヴしましょう。

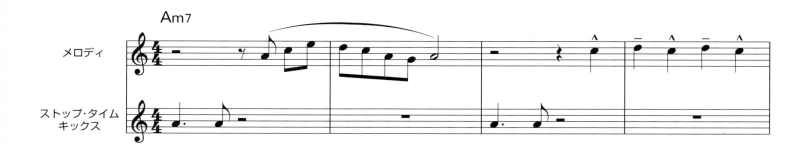

レギュラー・タイム

ソロの間、リズム・セクションはタイムがわかりやすい演奏をしています。ドラムスは一定のビートを叩き、ベースは一定の4分音符のリズムでウォーキングしています。そしてキーボードとギターはコードを弾いています。

ギターは2小節パターンでコードを弾いてます。ギター・パートのコードのトップ・ノートをCDと一緒に演奏しましょう。ギターのアーティキュレーションとタイム・フィールに合わせます。

キーボードも2小節パターンをくり返しています。キーボード・パートのコードのトップ・ノートをCDと一緒に演奏しましょう。キーボードのアーティキュレーションとタイム・フィールに合わせ、どのようにギター・パートと合っているのかに注目します。1オクターヴ上で演奏してもかまいません。

LESSON 31
インプロヴィゼイション

フォームと進行

STOP IT を聴いて、自分の耳でフォームと進行を確認してみましょう。その後このCHAPTERの最後にあるまとめを見て、答をチェックします。

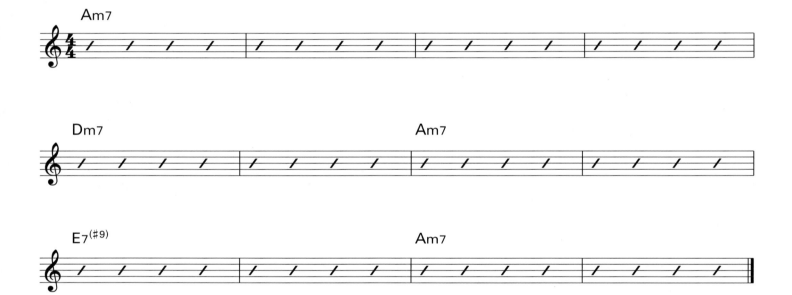

インプロヴィゼイションのアイディア

スケール：Ａ ブルース・スケール

この曲では、Ａ ブルース・スケールが使用できます。

Ａ ブルース・スケールを、ヴァイオリンのレンジ全体にわたって練習しましょう。

この曲に出てくるコードのコード・トーンを練習しましょう。E7(♯9) コードのテンションに注意します。

E7(♯9) コードで、構成音であるＧナチュラルとＧ♯の間には不協和なサウンドが生まれます。このサウンド・カラーはコード進行を明確にする１つの要素で、あなたのソロにも独特なカラーを与えるでしょう。次は不協和なサウンドを用いたリックの例です。

コール＆レスポンス

1. それぞれのフレーズを、聞こえるとおりにくり返し演奏する。
2. それぞれのフレーズに対して、インプロヴァイズして応答する。Aブルース・スケール、コード・トーン、テンションを使って、各フレーズの音やリズムをまねしながら演奏する。

A ブルース・スケール、コード・トーンを使って、あなた自身のアイディアをいくつか書きましょう。

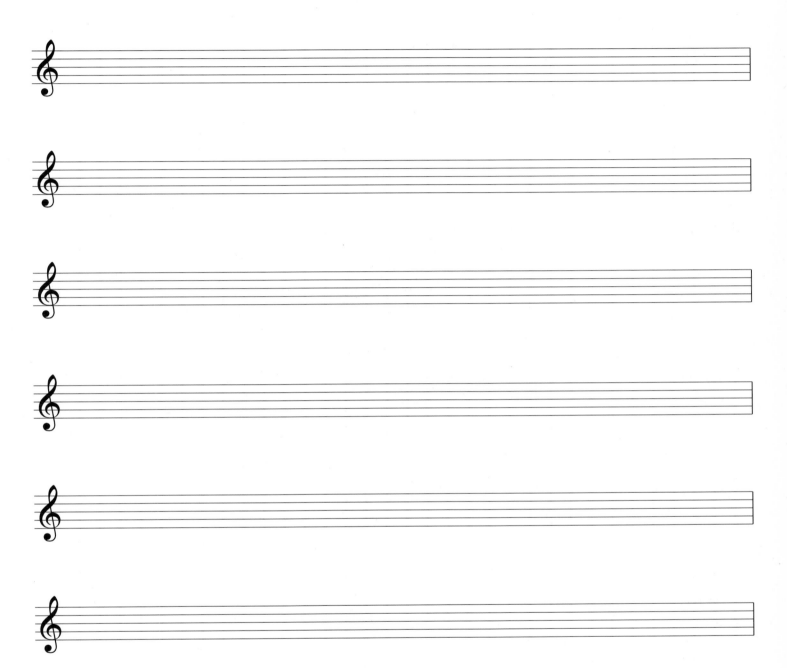

LISTEN **44** PLAY

これまでに学んだテクニックを使って、2コーラス分のソロを創りましょう。それを暗譜して、CDと一緒に練習しましょう。

LESSON 32
読 譜

ヴァイオリン・パート譜

D.C. al ⊕ ： 最初に戻って、その後コーダへ進むという意味。まず曲の最初に戻り、そこからまたフォームを演奏し、1つめのコーダまで行ったら、2つめのコーダ（エンディング）に跳ぶ。**D.S. al** ⊕ と基本的には同じだが、❀記号に戻るのではなく、曲の最初に戻るところが異なる。

ヴァイオリン・パート譜を見ながら、CDと一緒に **STOP IT** を演奏しましょう。

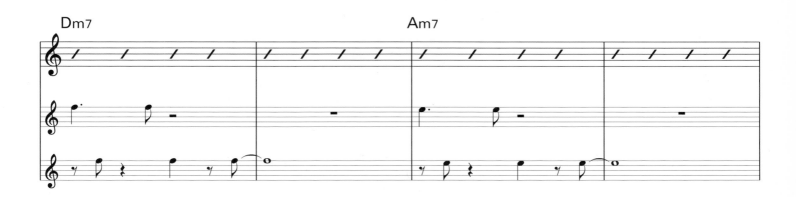

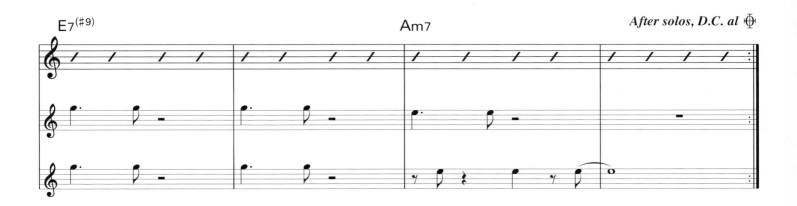

Coda

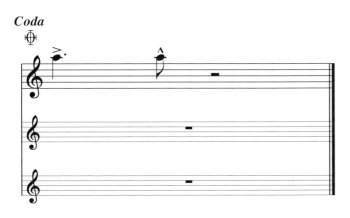

リード・シート

リード・シートを見ながら、Sᴛᴏᴘ Iᴛ を演奏しましょう。

Sᴛᴏᴘ Iᴛ

Bʏ Mᴀᴛᴛ Mᴀʀᴠᴜɢʟɪᴏ

CHAPTER 8 のまとめ
毎日の練習

スケールの練習

すべての異なるスケールやコードをスムーズに演奏できるようになれば、それらを自在に使いこなすことができます。毎日の基礎練習として、スケールとコードを練習しましょう。継続的に練習していけば、結果的にあなたのテクニック、表現力、スタミナも向上します。

以下は、スケールの効果的な練習方法です。

1．スケールを12のキーすべてで練習する
　　まずは、あなたが今取り組んでいる曲のキーから始めます。**STOP IT** を例にあげると、この曲はAマイナー・キーなので、マイナー・スケールを練習するのであればAマイナー・スケールから始めます。それから5th上（4th下）のEマイナー・スケールを練習し、次はBマイナー・スケールを練習します。このように、Aマイナーに再び戻るまで、5th上行（4th下行）をくり返します。これをサークル・オブ5thといいます。

あるスケールはヴァイオリンで演奏するのが簡単かもしれませんし、またあるスケールは難しいかもしれません。DやAのキーは比較的簡単ですが、D♭やF♯などは難しいでしょう。ゆっくりとしたテンポで、正確なピッチを心がけましょう。練習する時は、12のキーすべてを使います。例えば、すべてのメジャー・スケールは同じインターヴァル・パターンでスケール・ノートが並んでおり、ルートが異なるだけです。どのスケールでもインターヴァルの規則性をつかんでしまえば、12のキーすべてで演奏しやすくなります。

2．スケールの3度のインターヴァルを練習する
　　各スケール・ノートから、隣の音を1つ跳ばして演奏します。Aマイナー・スケールの場合、A，C，B，D，C，E，D，F……となります。最高音まで行ったら最低音まで下がり、そこからまた最初に始めた音まで上がって終わります。これを12のキーで練習しましょう。

3．スケールのダイアトニック・トライアドを練習する

　　スケールのトニックから、スケール・ノートだけで構成されるトライアドを弾きます。次に、スケールの２番めの音から始まるトライアドを弾き、スケールの３番め以降の音に対しても、同様にトライアドを弾きます。この練習によって、どのスケールからどんなトライアドが創られるのかという相関関係がわかり、さまざまなコードに慣れることもできます。このように、あるスケールから発生するトライアドを、そのスケールのダイアトニック・トライアドといいます。12のキーで練習しましょう。

続ける

4．スケールのダイアトニック7thコードを練習する

　　トライアドの創り方と同様ですが、さらに４つめの音が加わります。A，C♯，E，G♯；B，D，F♯，A；C♯，E，G♯，B……となります。

続ける

5．練習方法にヴァリエーションを増やす

　　上記のエクササイズや他のものを参考に、並び替えをするなど、今までと異なるエクササイズを創りましょう。スケールの３度の練習を例にあげると、Aマイナー・スケールを使って３度ずつ上行した後、サークル・オブ5thに従いEマイナー・スケールを使って下行します。その後も、サークル・オブ5thに従ってキー・チェンジを続け、上行下行を交互にくり返します。

Aマイナー　　　　　　　　　　Eマイナー　　　　　　　　　　Bマイナー

続ける

または、同様のエクササイズを下行から始めてもよいでしょう。

Aマイナー　　　　　　　　　　Eマイナー　　　　　　　　　　Bマイナー

続ける

6．曲に合わせてスケールを練習する

各コードに使うスケールを決定し、CDと一緒にソロの練習をします。各コードに対して正しいスケールを使いましょう。次の例では、ソロの最初はAマイナー・スケールを使いますが、それがDブルース・スケールやAブルース・スケールに切り替わっていく様子が確認できます。

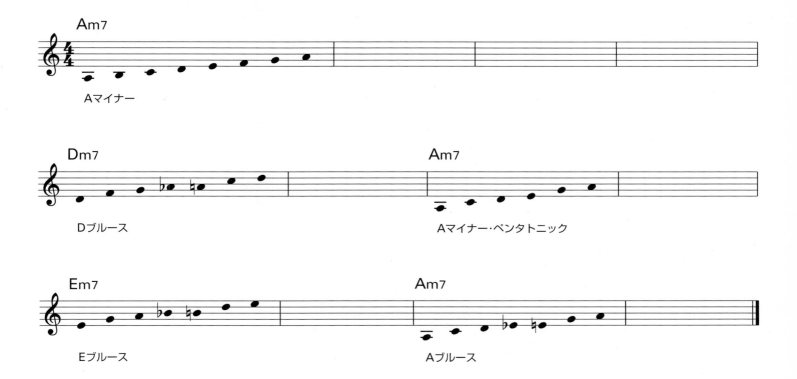

コード・トーンの練習

コード・トーンは幅広いインターヴァルの跳躍や難しい弦の跳躍を含むため、ある曲のコード・トーンを練習することによってテクニックが向上するでしょう。テクニックのためにコード・トーンを練習する場合は、ボウを注意深く観察し、常に1本の弦だけを弾くようにします。フィンガリングも何とおりか試しましょう。この方法で練習すれば、ボウで音を出す前に、正確な音を押さえられるようになります。

次のメロディーを練習しましょう。このメロディーには、**Stop It** に使われているコードのコード・トーンとテンションが使用されています。

コール＆レスポンス

1：それぞれのフレーズを、CDどおりにくり返し演奏する。
2：それぞれのフレーズに対して、インプロヴァイズして応答する。指定のリズムを使い、下段に書いてあるコード・トーンから音を選ぶ。コード・トーンから選んだ音をいろいろな方法で組み合わせる。ここに書いてある上行ラインをなぞるだけの演奏はしないようにする。

聴 く   演 奏

Ａブルース・スケールを使って、あなたのアイディアをいくつか書きましょう。

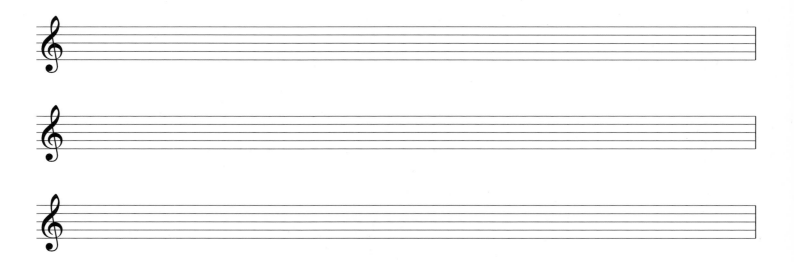

LISTEN **44** PLAY

これまでに学んだテクニックを使って、２コーラス分のソロを創りましょう。それを暗譜して、ＣＤと一緒に練習します。

ソロの練習

CDで演奏されているソロを練習しましょう。

暗　譜

これまでに学んだテクニックを使ってソロを創りましょう。下の5線譜に書いてから練習し、暗譜して、最後はCDと一緒に曲をとおして演奏し、それを録音しましょう。

LISTEN **44** PLAY

まとめ

フォーム	進行	ハーモニー	スケール
12小節ブルース （1コーラス＝12小節）	2コーラス：メロディー 4コーラス：ソロ 2コーラス：メロディー エンディング：1小節		

PLAY "STOP IT" WITH YOUR OWN BAND!
Stop It を自分のバンドで演奏しよう

おわりに

おめでとう！これでバークリー・プラクティス・メソッドは終了です。あなたは今やバンドで演奏するヴァイブラフォン・プレイヤーとしてさまざまなアイディアをもち、8種類のグルーヴとタイム・フィールを自在に使うことができるでしょう。他にも、あなたが学んだコード、ヴォイシング、ハーモニック・プログレッションなどは、音楽的なヴォキャブラリーとして非常に大事です。コンピング・パターンとソロのためのツールとアイディアを手に入れたわけです。これは、あなたにとって最高の出発点になるでしょう！

次のステップとして、あなたは何をするべきでしょうか？ あなたの好きな音楽に合わせて、さらに演奏しましょう。他のミュージシャンたちが話題にしているようなCDやアーティストを探しましょう。見つかったら、その曲、グルーヴ、コンピング・パターンなどについて学びましょう。バンド、アルバム、ヴァイオリン・プレイヤーなどについては、ミュージシャンたちがよく知っています。理論や譜読み、テクニックのための練習も続けましょう。コード・スケールとモードについても探求し、すべての調号（メジャー，マイナー）、スケール、アルペジオなども練習しましょう。

「ヴァイオリンを弾くとはどういうことか？」というコンセプトを探究し、発展させましょう。そうすれば、あなたがバンドの中のヴァイオリン・プレイヤーとしてどれほど重要な存在なのかが実感できます。あなたはメロディー、グルーヴ、ハーモニーにおいて、大きな責任を負っています。それは大変パワフルなポジションです。

1人でも、他のミュージシャンと一緒でもかまいませんので、毎日演奏しましょう。そうすれば、サウンドが身体の一部となります。

KEEP THE BEAT!

Matt and Mimi

バークリー・システムに基づき、バークリー音楽大学の優れた教授陣が結集して創り上げた、最新の、最高のメソッド

バンドでいっしょに演奏しよう

バークリー・プラクティス・メソッド　ヴァイオリン
Get Your Band Together Berklee Practice Method Violin 《模範演奏＆プレイ・アロングCD付》

Matt Glaser, Mimi Rabson 著

Mimi Rabson (Violin), *Paul Schmeling* (Keyboard), *Rich Appleman* (Bass),
Larry Baione (Guitar), *Casey Scheuerell* (Drums) 演奏

バークリー・プラクティス・メソッドは、アメリカのボストンにあるバークリー音楽大学での実際の授業方法を発展させ、個人でも練習できるようにした、あらゆるジャンルの初心者から中級者までに効果的なエチュードです。バークリー音楽大学が多くの学生をプロフェッショナルなプレイヤーへと育成してきたことはまぎれもない事実で、そのメソッドを基に、優れた指導者たちのアイディアを結集して創り上げられたこのエチュードは、非常に効率のよい内容になっています。

バークリー・プラクティス・メソッド・シリーズ全10巻およびTeacer's Guide（直輸入版）は、他のすべての楽器の本に同じ曲が収められており、一緒に演奏できるようになっています。もし、あなたの友だちにキーボード・プレイヤー、ギタリスト、ベーシスト、ドラマー、ヴォーカリスト、ホーン・プレイヤーがいたら、それぞれの楽器のキーに合わせたバークリー・プラクティス・メソッドを使うことによって、バンドで演奏できます。

本書では、すべてのレッスンをとおして、現代的なアンサンブルの中で各プレイヤーに必要とされる演奏テクニックを解説してあります。メロディーの歌い方やソロイストをサポートする方法、そしてコードの上でインプロヴァイズするための知識などが、バンドで演奏するプレイヤーに必要なテクニックです。毎日の練習という項目はあなた自身で、または他のミュージシャンと一緒に練習するために作られています。そして付属のCDには、バークリーの教授陣（例えば、トランペット編の模範演奏はタイガー大越）によるすばらしい演奏が、さまざまなスタイル（ロック、ファンク、ジャズ、ブルース、スウィング、ボサ・ノヴァなど）で収録されています。

定価［本体3,000円＋税］

収録されているトピックス
耳で聴いて学ぶ、コンピング、テクニックと理論、読譜、リズムの解釈、曲の形式、
インプロヴィゼイション、リード・シートの読み方

バークリー プラクティス・メソッド・シリーズ

各巻 定価［本体2,800円＋税］　　**各巻 模範演奏＆プレイ・アロングCD付**

アルト／バリトン
サックス

テナー／ソプラノ
サックス

トランペット

トロンボーン

ギター

ベース

キーボード

ドラムセット

ヴァイブラフォン
定価［本体3,000円＋税］

直輸入版

以下の商品は、直輸入版につき、通信販売のみのお取り扱いとなります。
詳細は、ホームページ http://www.atn-inc.jp にてお問い合わせください

Berklee Practice Method
TEACHER'S GUIDE
by Matt Marvuglio, Jonathan Feist

A GUIDE TO JAZZ IMPROVISATION

バークリー・インプロヴィゼイション・ガイド・シリーズ　全4巻

各巻 模範演奏＆プレイ・アロングCD付　　各巻 定価［本体2,800円＋税］

簡潔なアフローチ、万能なアピール、完全に系統立てられた構成
すべてのプレイヤーのためのインプロヴィゼイション・ガイド

長年にわたり、バークリー音楽大学にてその効果を実証された本シリーズは、わかりやすく、実践的な内容となっています。本書を学べば、個人でも、学校でも、確実にインプロヴィゼイションのスキルを身につけることができます。

本書の12のレッスンは、それぞれインプロヴィゼイション・テクニック上達のための課題（ワークショップ）を提示し、その課題は、実際のアレンジ（マイナス・ワンCDの演奏）に併せて行われます。マイナス・ワンCDの伴奏は、他のミュージシャンといっしょに演奏するような擬似体験をさせてくれます。もちろん、実際に他のミュージシャンといっしょに、本書の課題を練習することができれば、その方がよりよいでしょう。

本書バークリー・インプロヴィゼイション・ガイドは、楽器の基本的なテクニックや、読譜や記譜ができる読者を対象に創られています。各譜例の音域は、高すぎず低すぎず、中音域で創ってあります。もしオクターヴを変えた方が楽な時は、ためらわずにどんどん変えて演奏しましょう。なぜならば、本書は、インプロヴィゼイションができるようになることが目的だからです。楽器のテクニック自体を上達させることとは、また異なる目的なのです。

本書は、従来どおりの、教師とともに直接学ぶレッスンの代わりにはなりません。どのような教材も直接学ぶことに勝ることはできません。教師とともに学ぶことは、あなたが、より創造性豊かで、表現力のあるインプロヴァイザーになるために、大いに役立ちます。ひととおり本書のレッスンを終了して、インプロヴィゼイションが楽しくなってきたら、より理論的なアプローチについて書いてある本を試してみることもお勧めします。

著　者：*John Laporta* について

John Laporta は、作曲家、アレンジャー、演奏家として、*Woody Herman*、*Harb Pomeroy*、*Kenny Clarke* やその他多くのアーティストたちと活動してきました。彼が参加したレコーディングには、*Charlie Parker*、*Lester Young*、*Charles Mingus*、*Miles Davis*、*Dizzie Gillespie*、*Maz Roach*、*Oscar Pettiford*、*Lennie Tristano*、*Buddy Rich*、*Fats Navarro* など、偉大なアーティストたちとのものがあります。

また、*John* は、ソロイストとして、レナード・バーンスタインの指揮のによるニューヨーク・フィルハーモニー管弦楽団とともに、ストラヴィンスキーの Ebony Concerto をレコーディングしています（エベレスト・レコードからリリース）。

John は37年間バークリー音楽大学で教鞭をとり、ナショナル・ステージバンド・キャンプ（アメリカでは大変有名な音楽セミナーで、優秀な若いアーティストたちが集まる）でも25年間教えていました。彼は、バークリー音楽大学から名誉教授の称号を授与されています。

International Association Of Jazz Educators（IAJE／国際ジャズ教育者協会）は1994年に、ボストンでの年次総会で、*John Laporta* を人道主義者として表彰しました。彼が創った、高校生たちがステージ・バンドで演奏するための曲や、数多くの音楽教材が評価されたのです。

Cインストゥルメンツ

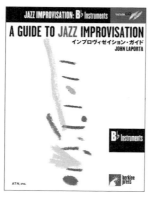

B♭インストゥルメンツ

E♭インストゥルメンツ

バス・クレフ

BLUES IMPROVISATION COMPLETE

バークリー・ブルース・インプロヴィゼイション・シリーズ　全4巻

各巻 模範演奏＆プレイ・アロングCD付　　各巻 定価［本体3,300円＋税］

12小節ブルースは、その起源は古いにもかかわらず、今日のアメリカン・ミュージックや文化においてもたくさん使われています。例えば、*Elvis Presley*によって1956年にレコーディングされたHound Dogは12小節ブルースです。同じ12小節ブルースのFrankie and Johnnyは、1800年代の終わりに書かれ、ニューオリンズのスタンダードになりました。天才的ジャズ・プレイヤーの*Charlie Parker*は、40年代と50年代の間、ブルースに大変革を起こしました。*Beatles*や*Cream*などの60年代のロック・バンドは、しばしばレコーディングでブルースを取り上げ、また、シカゴ・ブルース・アーティストの*B.B. King*は、ほとんど12小節ブルースだけを専門的にプレイしています。*Michael Brecker*、*Joshua Redman*、*Wynton Marsalis*、*Chick Corea*、*John Scofield*などのコンテンポラリー・ジャズ・アーティストたちによるCDには、少なくとも1曲はブルースを取り上げています。

本書は、ビギナーのためのブルース・インプロヴィゼイション入門書です。本書の目的は、12小節ブルース上でメロディック・ラインをインプロヴァイズするための、基本的なアプローチを学ぶことにあります。これらのアプローチは、ジャズ、ラテン、フュージョン、ブルース、ロックにおけるインプロヴィゼイションのスキルを発展させるための基礎となるものです。

本書は5つのセクションに分かれています。**Section 1：ブルース・スケールの練習**は、このスケールを使ってインプロヴァイズするために必要な知識とテクニックを身につけるためにデザインされています。**Section 2：ブルース・スケールを使った1小節のアイディア**は、ブルース・スケールだけを使ったシンプルなメロディック・フラグメントを集中的に取り上げます。**Section 3：ルートを中心としたブルース・スケールのソロ**は、12小節ブルース・コード・プログレッション上のブルース・スケールだけを使ったコーラス全体のソロ例を紹介します。**Section 4**は、**6度を中心としたブルース・スケールのソロ**です。これらのソロもまた、ブルース・スケールを使用しますが、全く異なるメロディック、そしてハーモニックなフレイヴァー（趣）をもっています。**Section 5**は、**ルートと6度を中心としたブルー・スケールのソロ**です。2つのスケールを組み合わせることで、より多彩なムードと色合いを創ることができます。Section 2からSection 5は、本シリーズのC、B♭、E♭**インストゥルメンツ編**といっしょに演奏することができます。Section 5の後に、ファンク・スタイルにおけるリズムとソロが付加されています。

本書によって、ブルース上でのインプロヴィゼイションだけでなく、ブルースの12小節コード・プログレッションのサウンドを耳で理解することも学習できます。また、読譜、テクニック、リズミック・シンコペーション、リズム・セクションとの演奏、慣用的なメロディック・ヴォキャブラリー、そして作曲の分野に関しても発展させることができるでしょう。これらはすべて、インプロヴィゼイションのアート（芸術）を習得するために欠かせないスキルです。

本書は、特定のスケール、メロディ、コード・プログレッションを、まず指で身につけ、そして耳で覚えることに焦点を当てています。ブルース・スケールの練習とブルース・ソロの例は、あなた自身のインプロヴァイズしたソロのモデルとして役立ちます。これらのモデルには、リズミックおよびメロディック・ヴォキャブラリーが取り込まれています。

本書の各セクションは、12のキーで書かれています。目標は、すべてのキーで楽にプレイできるようになることですが、これは、熟達した、多才なミュージシャンになるために必要なことの1つです。もちろん、時間はかかりますが、早い段階で始めることで、最初から正しい道に進むことができます。さらに、練習とソロの多くは複数のキーに移調し、いくつかは12すべてのキーに移調しています。これはテクニックを伸ばす上でも役に立ちます。同じメロディを複数のキーでくり返すことで、自然にそのサウンド、フレージング、リズムを覚えることができます。そして、同じコード・プログレッション上でインプロヴァイズする時に、覚えたソロやメロディック・フラグメントは、自分のアイディアのためのテンプレート（型）としての役目をします。

Cインストゥルメンツ

B♭インストゥルメンツ

E♭インストゥルメンツ

バス・クレフ

もっと簡単に、楽しくジャズを演奏できないものかと考えている人、基礎からジャズを演奏したい人は
イージー・ジャズ・コンセプション・シリーズから始めてみよう

Easy Jazz Conception Study Guide
イージー・ジャズ・コンセプション・スタディー・ガイド　ヴァイオリン
《模範演奏＆プレイ・アロングCD付》
Jim Snidero 著
収録メンバー：*Mark Feldman* (violin), *Mike Ledonne* (piano), *Peter Washington* (bass), *Kenny Washington* (drums)

soloist **Mark Feldman**

定価［本体3,000円＋税］

本書に掲載されている曲は、有名なジャズ・チューンのコード進行に基づいて創られています。譜面上はとても簡単な曲ばかりです。付属のCDに収録されている模範演奏を聴いてから、プレイ・アロング・トラックと一緒に演奏すれば、本場ニューヨークの雰囲気をあなたも体験できます。

模範演奏のソロイストはもちろん、リズム・セクションには、ニューヨークを拠点として世界中で活躍しているミュージシャンを起用しているので、これだけでも、ジャズの本質を身をもって体験できることになります。特に、ビギナーやコンボ（バンド）を組んでいない人には、最高のグルーヴを打ち出してくれる超一流プレイヤーとの演奏は、他では体験できません。日本語版には、スタディー・ガイドが掲載されているのでさらに効果的です（オリジナル原本は楽譜のみ）。

本書には、シリーズ全編に共通する豊富なエチュードや、ヴァイオリン・プレイヤー向けに追加されたボウイングのアップ/ダウン記号など、初心者にも使いやすい内容になっています。

イージー・ジャズ・コンセプション・スタディ・ガイド・シリーズ
シリーズのその他の本とソロイスト

アルト・サックス(soloist: *Jim Snidero*)、テナー/ソプラノ・サックス(soloist: *Eric Alexander*)、バリトン・サックス(soloist: *Scott Robinson*)、フルート(soloist: *Jim Snidero*)、トランペット(soloist: *Ryan Kisor*)、クラリネット(soloist: *Dan Block*)、トロンボーン（soloist: *Slide Hampton*)、ギター(soloist: *Joe Cohn*)、ヴィオラ(soloist: *Mark Feldman*)、チェロ(soloist: *Eric Friedlander*)、ピアノ・コンピング(as played by *Dave Hazeltine*)、ドラムス(as played by *Kenny Washington*)

リズム・フィギュアを読むジャズ・エチュード
リーディング・キー・ジャズ・リズム　ヴァイオリン 《模範演奏＆プレイ・アロングCD付》
Fred Lipsius 著　　演奏：*Evan Price* (violin), *Fred Lipsius* (piano), *Dave Clark* (bass) , *Dave Weigert* (drums)

soloist **Evan Price**

定価［本体3,000円＋税］

リズム・フィギュアを読むジャズ・エチュード、リーディング・キー・ジャズ・リズムは、全部で10種類の楽器で構成されるシリーズで、それぞれ同じ24曲のジャズ・エチュードが収められています。

本シリーズの各巻は、初級から中級者レベルのジャズ・エチュード24曲と、それぞれのエチュードを簡略化したガイド・トーン・ヴァージョンの24曲で構成されています（ピアノを除く）。これらは、ジャズ語法の基礎、スウィング・フレージング、アーティキュレーションの学習のために理想的なものです。ジャズ・アンサンブル、およびジャズ関連の音楽を演奏するあらゆるアンサンブルやオーケストラのための導入教材として最適です。

各巻は、それぞれの楽器に適合するキーに移調された2とおりの楽譜と模範演奏のCDがセットになっています。また、楽器ごとに演奏しやすいように、同じエチュードでもキーが異なっているものがあります。またフレージングも楽器ごとに少しずつ異なっています。

エチュードはすべて、ジャズ・ミュージシャンの日常語となっているジャズ・チューンや、メジャーとマイナーのブルース、およびリズム・チェンジ(I Got Rhythmのコード進行)に基づいたものです。コード・シンボルを活用して、プレイ・アロング・トラックに合わせてインプロヴァイズすることもできるように組み立てられています。

ヴァイオリンの本に付属のCDには、*Evan Price*による24曲のメロディアスなジャズ・エチュードの模範演奏と、ベース、ドラムスによるプロフェッショナル・リズム・セクションが収録され、別トラックにはリズム・セクションのみによるプレイ・アロングが収められています。本書は、ヴァイオリンの基本的テクニックは身につけているが、バンドの経験の少ないプレイヤーに最適です。

Hal Crook 関連商品

ハウ・トゥ・インプロヴァイズ 《2CD付》
HOW TO IMPROVISE   an Approach to Practicing Improvisation
Hal Crook 著・演奏

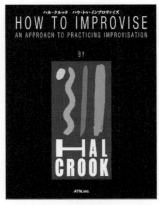

バークリー音楽大学のインプロヴィゼイションの教科書として使われ、一躍有名になった**ハウ・トゥ・インプロヴァイズ**の日本語版。

著者Hal Crookは、インプロヴィゼイションに必要なさまざまな要素をひとつに結合し、豊富な譜例と付属CDを使ったエクササイズ、さらに日々の練習課題まで具体的に示しながら、指導しています。その効果は、バークリー音楽大学が多くの有能なジャズ・ミュージシャンを輩出していることで証明されています。

2枚の付属のCDには、合計145トラックにもおよぶデモンストレーションと練習用トラックが収録されています。

定価［本体5,800円＋税］

目次より
ペース配分 演奏/休止のアプローチ、曲のメロディ、フレイズの長さ、リズムの密度、タイム・フィール、メロディおよびリズムの装飾、タイムのストレッチ、ダイナミクス 音楽のコントラスト、アーティキュレーション、コード・トーンによるソロ、モティーフによるソロ、モティーフの展開、リズミック・ディスプレイスメント、オーグメンテーション/ディミニューション、他

ハウ・トゥ・コンプ 《CD付》
HOW TO COMP   a study in jazz accompaniment
Hal Crook 著・演奏

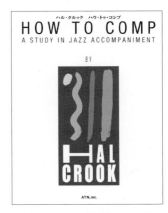

本書は、明解で、総合的な一度に1つずつのコンセプトに基づいた理論により、ジャズのインプロヴィゼイション・ソロのコンピングをいかにして学ぶか提案するものです。また本書は、*Hal Crook* の著書**ハウ・トゥ・インプロヴァイズ**の姉妹書でもあり、的確な説明、エクササイズ、実演のサンプル、マイナス・ワン・トラック、日々の練習課題などをジャズを学び、プレイする人たちに提供するものです。また、膨大な情報を系統的にまとめた本書は、長年にわたるジャズ教育に大いに貢献しました。

本書は、中・上級レベルのピアノ、ギター、ヴァイブなどの楽器のために書かれています。もちろんドラマーやベーシスト、管楽器奏者が読んでもたいへん役立ちます。

> 「*Hal*は、タイム・フィール、対位法、正しい音使い、柔軟性に富んだリハモニゼーションといったすばらしい贈りものをもっている。それらすべては、とてもハイ・レベルな創造性とできばえだ」
> *Jerry Coker*

定価［本体5,200円＋税］

目次より
ヴォイシング組み立てのための準備、ヴォイス・リーディング、独立したリード・ライン、コードのリズム表記、フォワード・モーション、リズムの練習、ハーモニック・アンティシペーション、ハーモニックおよびメロディックな装飾、ノン・ハーモニック・ヴォイシング、コンピングの実例、他

直輸入版

以下の商品は、直輸入版につき、通信販売のみのお取り扱いとなります。
詳細は、ホームページ **http://www.atn-inc.jp** にてお問い合わせください

Creative Comping for Improvisation (CD / BOOK)   Vol.I, II, III

ハウ・トゥ・コンプ、ハウ・トゥ・インプロヴァイズの著者*Hal Crook*が自らピアノを弾いているこのプレイ・アロングCD＆ブック全3巻は、トータルで、32のコード進行が収録され、E♭、B♭、Cの楽器に対応したリード・シートが付いています。

- 32のジャズ・スタンダード・コード進行を収録
- コード・ヴォイシング＆ベースは、アコースティックMIDIグランド・ピアノで収録
- リード・シートは、E♭、B♭、Cに対応

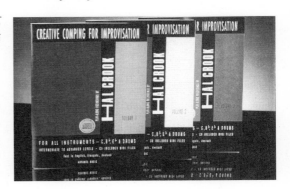

ストリングス・セクションもジャズに挑戦しよう

やさしい ジャズ・ストリングス・シリーズ

各巻 模範演奏 & プレイ・アロング CD付

Martin Norgaard 著　　*Martin Norgaard, Paul Nelson* 演奏　　　各巻 定価［2,200円＋税］

本書は、ヴァイオリン、ヴィオラ、チェロのプレイヤーが、ジャズに挑戦する際に抱えるさまざまな問題を、先生と生徒の対話形式で教えています。クラシックとジャズで、異なるリズムの解釈や、ジャズ独特の表現方法をわかりやすく解説しています。それぞれの課題曲は、1人の先生と3人の生徒を想定しているので、先生が弾くピアノ・パートに合わせて、3人の生徒がアンサンブルを楽しむことができます。また収録曲は、ヴァイオリン、ヴィオラ、チェロ各巻共通ですので、互いの演奏を聴き合いながら効果的に練習することもできます。

本書の主な内容
レッスン1 リズムでインプロヴァイズしてみよう
レッスン2 リズムとピッチでインプロヴァイズしてみよう
レッスン3 スケールのすべての音を使って
レッスン4 1つの音を変えてインプロヴァイズしてみよう

付属CDについて
本書、やさしいジャズ・ストリングス・シリーズのヴァイオリン、ヴィオラ、チェロ各巻付属CDの模範演奏は、すべてヴァイオリンの演奏によるものです。それぞれの楽譜は、各楽器の音域に合わせた音部記号を使用しております。また、Track 51 およびTrack 53 の楽譜は、ヴィオラ、チェロの音域に合わせてあるため、CDに収録されているヴァイオリンの演奏とは異なる音型になっています。

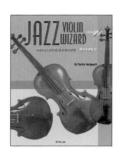 ヴァイオリン　　 ヴィオラ　　 チェロ

関連商品 直輸入版のご案内

以下の商品は、直輸入版につき、通信販売のみのお取り扱いとなります。詳細は、ホームページ **http://www.atn-inc.jp** にてお問い合わせください

A Practical Guide to Jazz Improvising for Strings
JAZZ FIDDLE WIZARD 《プレイ・アロング CD付》
by Martin Norgaard

ATN, inc.

バークリー
プラクティス・メソッド

VIOLIN
GET YOUR BAND TOGETHER

発　行　日　2005年5月20日（初 版）

著　　　者　Matt Glaser and Mimi Rabson
　　　　　　and the Berklee Faculty
翻　　　訳　佐藤 研司
発行・発売　株式会社 エー・ティー・エヌ
　　　　　　© 2005 by ATN,inc.
住　　　所　〒161-0033
　　　　　　東京都新宿区下落合 3-12-21　目白エミネンス 102
　　　　　　TEL 03-6908-3692 / FAX 03-6908-3694
ホーム・ページ　http://www.atn-inc.jp

3291

ISBN4-7549-3291-9